NATURAL
Cuba
natural

ALFONSO

SILVA

LEE

PANGAEA

SAINT PAUL

Todas las fotografías por ALFONSO SILVA LEE, con excepción
de las siguientes páginas, cortesía de:
All photography by ALFONSO SILVA LEE, *except
the following pages, courtesy of:*

Rafael Mesa: 121, 122, 124, 126, 128, 130, and 131
Jack Gadbois: *frontispiece* morena/moray, 123, 127, and 133
Bonnie Hayskar: 22 (*abajo/below*), 47, 62 (*abajo/below*), 104-5, 136, and 140

Láminas de animales/*Illustrations of animals:*
Patricia Wynn & American Museum of Natural History

International Standard Book Number 0-9630180-2-7

Library of Congress Cataloguing-in-Publication Data

Silva Lee, Alfonso.
Natural Cuba/Cuba natural / Alfonso Silva Lee. — 1st ed.
p. cm.
English and Spanish
Includes index.
ISBN 0-9630180-2-7 (hardcover : alk. paper).
1. Zoology—Cuba. 2. Natural history—Cuba. I. Title.
QL229.C9S54 1996
591-97291—dc20 96-35385
CIP

The paper used in this book meets the minimum requirements of the American
National Standard for Information Services—Permanence of Paper for
Printed Library Materials, ANSI Z39.48-1992.

Portada/*Cover*: Polimita picta cubana. *Cuban painted tree snail.* Guantánamo.
Frontispiece: Costa atlántico de Cuba noreste. *Northeast Atlantic coast of Cuba.* Holguín.
Garcilote. *Great blue heron (white morph).* Cayo Coco.
Euphorbia helenae, El Toldo, Holguín. Morena manchada. *Spotted moray.*
Contratapa/*Back cover*: Palmas reales cerca Esmeralda.
Royal palms near Esmeralda. Camagüey.

PUBLICADO EN LOS ESTADOS UNIDOS DE AMÉRICA
PUBLISHED IN THE UNITED STATES OF AMERICA

Primera Edición/*First Edition*
1996

A Gabriela y Luisi

For Gabriela and Luisi

Contenido / Contents

Prólogo

Prologue

La naturaleza cubana, con sus casi 42 millones de años de bregar histórico, ha conformado un conjunto variopinto de maravillas evolutivas, en su mayoría pequeñas y exclusivas. Ellas cubren la geografía a parches, en un mosaico de poblaciones que, con harta frecuencia, son reducidas y frágiles.

Los estudios faunísticos antillanos se iniciaron, de forma sistemática, con la obra de Carlos Linneo, pero fue Antonio Parra quien en 1787 publicó la primera contribución sustancial a la zoología de Cuba. En estos 209 años la fauna isleña ha sido sustancía de muchos centenares de artículos científicos, y de algunos libros. En ellos se ha dado nombre a algo más de una decena de miles de especies que componen la fauna terrestre del archipiélago, o se ofrecen datos acerca de sus vidas. Toda esta información, sin embargo, permanece ajena al hombre común, ya que apenas se ha divulgado.

Cuba natural es un esfuerzo por llenar este vacío. Nos brinda, de primera mano y en forma amena y precisa, los productos de la evolución y, lo que es mejor, explica y convence acerca de la importancia de reconocer lo intrínsecamente valioso, lo auténticamente cubano. El libro usa lo mejor de la ciencia especializada y del arte narrativo, y sirve así para tender un

Along its lengthy history of almost 42 million years, Cuban nature has produced a many-colored set of evolutionary marvels, most of them small and exclusive. They cover the geography of the island by patches, forming a mosaic of populations, most of which are small-sized and fragile.

Systematic studies of the Antillean fauna were initiated by Carolus Linnaeus, but it was a local, Antonio Parra, who in 1787 published the first substantial contribution to Cuban zoology. In the 209 years that have since passed, the island's creatures have been the subject of many hundred scientific articles, and of some technical books. This literature has given name to over 10,000 land-based animal species that make up the archipelago's fauna, or has offered data on their lives. All this information, though, has never before been appropriately put together for the joy of the layperson.

Natural Cuba is an effort to fill this void. It offers the products of local evolution first-hand, accompanied by a precise and entertaining text. What is even better, it convincingly explains the need to recognize what is intrinsically valuable, and what is authentically Cuban. The book uses the best of specialized science and the best of narrative art to lay a much

necesario puente entre el cubano y la isla.

Con suma elegancia, Alfonso Silva recorre los paisajes criollos—tanto terrestres como marinos—, y destaca las particularidades de muchas de las criaturas típicas de Cuba. El libro nos invita a reflexionar sobre la importancia de apreciar los animales locales con una óptica más amplia, y profundiza con particular agudeza en las raíces culturales de la estrecha visión preponderante. A su vez señala, críticamente, la importación de elementos faunísticos foráneos, tan nocivos en cualquier ambiente insular.

En el contexto caribeño-antillano no conocemos de otra obra como esta, que recree los principales componentes de la biodiversidad faunística con erudición pasmosa, profusión de datos actualizados, excelentes fotografías, y una prosa no ya digerible, sino deliciosa. *Cuba natural* inaugura, pues, la divulgación de los valores genuinos de una buena porción de la biota antillana. Es de esperar que este libro sea un eficaz instrumento en la educación ambientalista de la región, y que contribuya a la conservación de la enorme riqueza natural de estas islas encantadas.

Giraldo Alayón García
Presidente, Sociedad Cubana de Zoología
Representante cubano, Fundación Green Caribe
La Habana, Cuba

needed bridge between the Cubans and their land.

With utmost elegance, Alfonso Silva takes us through the native scapes of land and sea, showing the remarkable facets of a good many creatures typical of the island. The book invites reflection on the important need to have a wider appreciation of the local animals, and has especially acute observations on the cultural roots of the narrow point of view prevailing today. The book is also critical regarding the introduction of exotic animals, a practice highly damaging to island environments.

In the Caribbean-Antillean context we know of no other publication like this one, which recreates the fundamental components of faunal diversity with astonishing erudition, offers an abundance of recent data, excellent photography, and a prose not only tractable, but delicious. *Natural Cuba,* thus inaugurates in popular expression the genuine value of a good portion of the Antillean biota. This book should prove an efficient tool in regional environmental education, and will surely contribute in the conservation of the enormous natural riches of our enchanted islands.

Giraldo Alayón García
President, Cuban Zoological Society
Cuban Representative, Green Caribe Foundation
Havana, Cuba

Prefacio
Preface

La naturaleza de Cuba amerita un texto ilustrado desde hace al menos un par de siglos. El tema—no exagero—debió haber estrenado la primera imprenta instalada en La Habana, allá por el año 1723.

La isla-archipiélago posee una fauna que es a la vez pobre y rica. Falta, por ejemplo, la representación de muchos grupos de mamíferos, y es abundante la de reptiles. La riqueza viene dada, además, por la singularidad de las especies; la mitad de ellas es de un criollismo radical, pues se convirtieron aquí en lo que son, a lo largo de millones de años, y no habitan ninguna otra tierra del planeta. Otro tanto ocurre con las plantas.

La conexión de los cubanos con la naturaleza indígena, sin embargo, es tenue. El delgado canal de contacto nos relaciona principalmente con la explotación de suelos y aguas subterráneas, y con bosques productores de madera. Las más de las veces tenemos gran confusión acerca de qué animales son propios del territorio y cuáles son importados; y con frecuencia alarmante apreciamos más el exótico que el autóctono. Los otros canales de apreciación de la naturaleza cubana son embriones aún indiferenciados; incluyen la perspectiva científica, y también la ecológica, la estética, la moralista y hasta la

Cuba's nature has been worthy of an illustrated text since at least a couple of centuries back. Without exaggeration, the topic should have inaugurated Havana's very first printing office, about the year 1723.

The island-archipelago has a fauna that is both rich and poor. Absent, for example, are representatives of many groups of mammals; but reptiles are abundant. Richness also comes from the singularity of species. Half the total are radically aboriginal, since they developed right here in Cuba into what they are, throughout millions of years, and do not inhabit any other land on the planet. Many plants are equally unique.

The connection Cubans have with the indigenous animals and plants, though, is tenuous. Contact is mainly through the use of soil and underground waters, and with timber-producing forests. Quite often we are in great confusion as to which animals are natural to the territory and which are imported. With alarming frequency we appreciate more the exotic ones than the autochthonous. The other means for the appreciation of Cuban nature are still undifferentiated embryos. They include the scientific perspective, and also those of ecology, aesthetics, ethics, and even long-range

utilitaria-económica. Ellos permitirían la muy necesaria comunión con lo salvaje.

En las montañas de la región oriental, el almiquí sobrevive de puro milagro, a la espera de medidas que retiren la presencia de gatos y perros ferales, y a la de biólogos que aprendan sus requerimientos vitales. Las aves, los reptiles, los anfibios y los peces de agua dulce cubanos, esperan la publicación de catálogos ilustrados que permitan a todos—ingenieros agrónomos, ecólogos y vacacionistas por igual—visualizar y apreciar su excepcional diversidad, saber cómo están dispersos por la geografía. También necesitan atención los moluscos terrestres, entre los cuales destacan las polimitas. Estas han sido tratadas en un libro pequeño, pero sufren su extrema belleza a consecuencia de la intensa recolecta por parte de todas las personas—recolectores de café, turistas—que circulan por entre el follaje bajo. Escasean hoy peligrosamente.

Es imposible sobreestimar la urgencia por proteger la flora y fauna indígenas. Ello implicaría gastos enormes, y el sentimiento por ellos que flota en nuestras mentes es escaso. Amar y apreciar la naturaleza son requisitos indispensables para cualquier acción contundente. El desatino básico de nuestra cultura (la occidental) es ver la naturaleza como algo separado, y el que le sigue en importancia es creer que nuestra tarea fundamental es dominarla, someterla a nuestros intereses. Este libro va dirigido a subvertir estas dos creencias.

Agradezco a decenas de colegas—botánicos, zoólogos y geólogos—su paciencia al responder las mil interrogantes que mi limitada formación de ictiólogo

economic use. Widening of these channels would allow the much necessary communion with wildness.

Deep into the eastern mountains, the Cuban insectivore (*almiquí*) survives by miracle, in wait of action directed to suppressing feral cats and dogs, and in wait of biologists that would study its vital needs. The birds, reptiles, amphibians and freshwater fish of Cuba are waiting for the publication of illustrated catalogues and guides that would allow everyone—agronomy engineers, ecologists, outdoor campers—to visualize and appreciate their exceptional diversity, and to know in what patterns they are distributed throughout the land. Land snails need attention, too, especially the Cuban painted tree snails. These have been dealt with in a small book, but suffer their extreme beauty as a result of intense collecting by all kinds of people—coffee pickers, tourists—walking through the low foliage. They are today dangerously scarce.

It is impossible to overestimate the urgency for protecting Cuba's indigenous flora and fauna. This would imply enormous spending, while the feeling for them that swirls in our minds is meager. Love and appreciation for nature are mandatory before any substantial action can be undertaken. The basic flaw of our mainstream western culture is to see nature as something separate from humans; and the one that follows in importance is to believe we have the task of dominating nature, of surrendering "her" according to "our" needs. This book is aimed at subverting these two beliefs.

siempre ha obligado. Otros colegas han ofrecido con gentileza sus datos, precisos y actualizados, acerca del número de especies conocidas hasta hoy en los distintos grupos de animales cubanos. A algunos les he asediado en las que deberían calificar como demasiadas ocasiones, y jamás han protestado. Otros, tanto colegas como simples amigos, han regalado su tiempo para leer y criticar el manuscrito.

Menciono aquí mis víctimas más frecuentes, y las de particular nobleza: Jeannine Achón, Pastor Alayo, Giraldo Alayón, Alberto Areces, John Banks, Nelly Brito, Roger E. Dooley, Lucila Fernández, Orlando H. Garrido, Julio A. Genaro, Osvaldo Gómez, Darío Guitart, Esteban Gutiérrez, S. Blair Hedges, John Holod, Manuel Iturralde-Vinent, Augusto Juarrero, Brant Kilber, Arturo Kirckonnell, Alexis Lago, Pat Legg, José A. Menéndez, Onaney Muñiz, Rafael Quiñones, Rubén Regalado, María Sánchez, Olban Santana, Gilberto Silva, y C. Lavett Smith. Huelga decirlo, les libero de cualesquiera imprecisiones y desatinos emanados de mi metabolismo intelectual. Norma Padilla tuvo el cuidado de ajustar, para beneficio público, la puntuación y sintaxis de esta mitad del texto.

Mi gratitud va grande además para Víctor L. González y Bonnie Hayskar. También para Ross D. E. MacPhee (Museo Americano de Historia Natural, Nueva York), cuya amabilidad, en esta ocasión, le llevó a colaborar en este libro algunas páginas imprescindibles. Agradezco asimismo el apoyo brindado por John Guarnaccia (Centro RARE para la conservación de ambientes tropicales, Filadelfia),

I am grateful for the patience of many colleagues—botanists, zoologists, geologists—who have answered the thousand questions that my limited formation as an ichthyologist has always imposed. Other colleagues have kindly offered the precise and updated numbers of Cuban animals among the different groups. Some of them I have approached in what should count as too many instances, and have never complained. Others, both colleagues and friends, have given much time reading and criticizing crude drafts.

The following have been victimized repeatedly by me, and proven of special nobility: Jeannine Achón, Pastor Alayo, Alberto Areces, Giraldo Alayón, John Banks, Nelly Brito, Roger E. Dooley, Lucila Fernández, Orlando H. Garrido, Julio A. Genaro, Osvaldo Gómez, Darío Guitart, Esteban Gutiérrez, S. Blair Hedges, John Holod, Manuel Iturralde-Vinent, Augusto Juarrero, Brant Kilber, Arturo Kirckonnell, Pat Legg, Alexis Lago, José A. Menéndez, Onaney Muñiz, Rafael Quiñones, Rubén Regalado, María Sánchez, Olban Santana, Gilberto Silva, and C. Lavett Smith. Needless to say, I excuse them of whatever inaccuracies or blunders might have emerged from my intellectual metabolism. Norma Padilla took good care of fine-tuning, for public benefit, the punctuation and syntax of the Spanish half.

Oversized gratitude goes to Víctor L. González and Bonnie Hayskar. And to Ross D. E. MacPhee (American Museum of Natural History, New York), who kindly contributed some necessary pages to this book. I highly appreciate support given by John Guarnaccia (RARE Center

Dan M. Martin y Michael B. Jenkins (Fundación John D. y Catherine T. MacArthur, Chicago), y Lawrence R. Heaney y Wendy Jackson (Museo de Historia Natural Field, Chicago).

El nombre vulgar de la mayoría de las especies mencionadas en el texto es de procedencia taína, y resultará algo críptico para la mayoría de los lectores no-cubanos. Por esa razón al final del libro se ofrece un apéndice con el nombre científico correspondiente a cada una de ellas. Este quizás resulte aún más indescifrable, pero es pista suficiente para revelar cualquier incógnita.

ASL
La Habana

for Tropical Conservation, Philadelphia), Dan M. Martin and Michael B. Jenkins (The John D. and Catherine T. MacArthur Foundation, Chicago), and Lawrence R. Heaney and Wendy Jackson (Field Museum of Natural History, Chicago).

The vernacular names of Cuban animals (of Taino descent) will be cryptic to most non-Cubans. Almost just as intractable will be some translations more or less established in the literature. For such reason an appendix is provided, with the corresponding scientific name of each species mentioned in the text. To most readers the latter will be equally obscure, but clue enough to reveal identities.

ASL
Havana

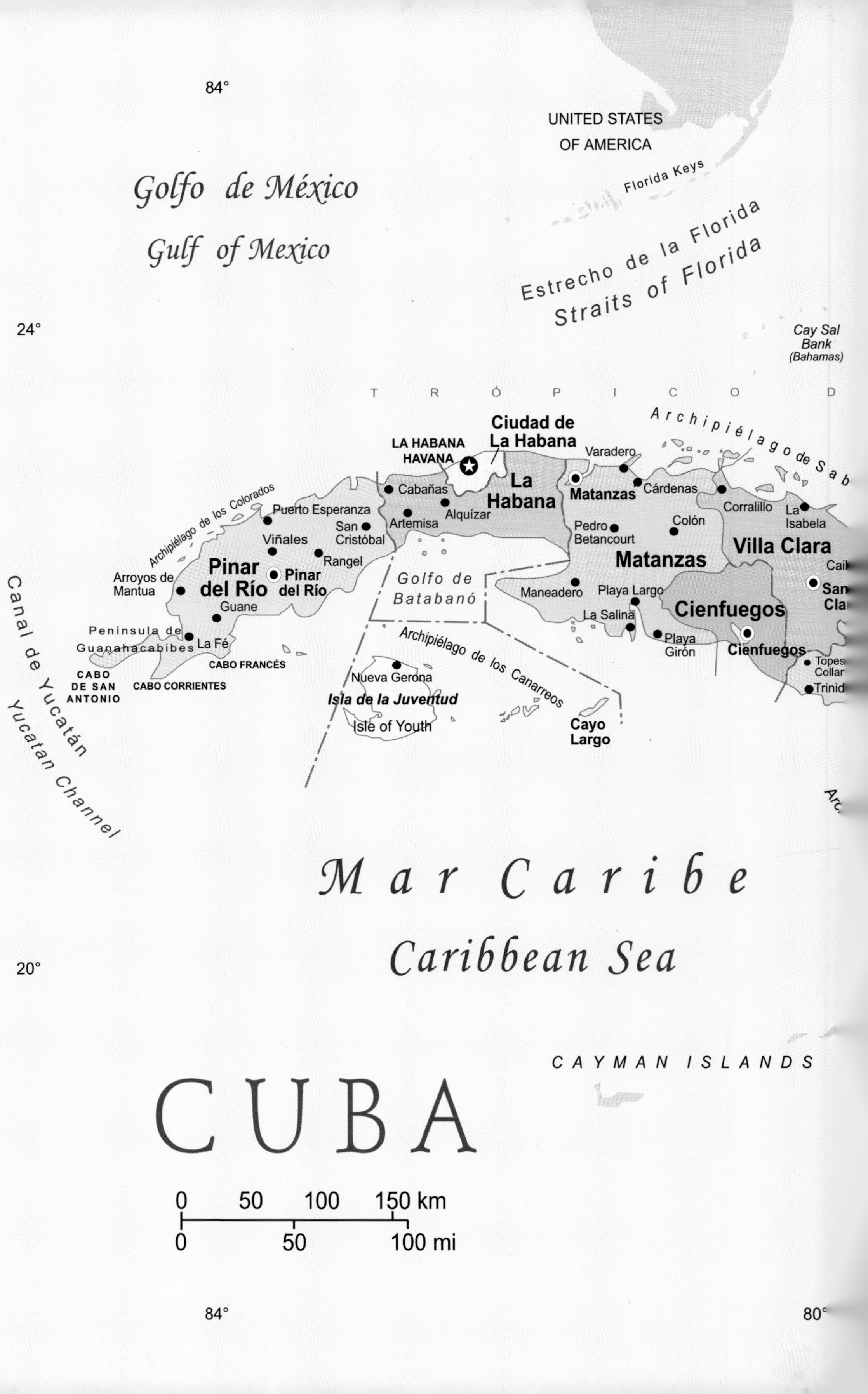

84°

UNITED STATES
OF AMERICA

Florida Keys

Golfo de México

Gulf of Mexico

Estrecho de la Florida
Straits of Florida

24°

Cay Sal
Bank
(Bahamas)

T R Ó P I C O D

Archipiélago de Sab

Ciudad de
La Habana

LA HABANA
HAVANA

Varadero

La
Habana

Matanzas

Cárdenas

Cabañas

Alquízar

Artemisa

Corralillo

La
Isabela

Puerto Esperanza

San
Cristóbal

Colón

Pedro
Betancourt

Archipiélago de los Colorados

Viñales

Rangel

Villa Clara

Matanzas

Pinar
del Río

Pinar
del Río

Cai

San
Cla

Arroyos de
Mantua

Guane

Golfo de
Batabanó

Maneadero

Playa Largo

Cienfuegos

La Salina

Playa
Girón

Cienfuegos

Península de
Guanahacabibes

La Fé

CABO FRANCÉS

Archipiélago de los Canarreos

Topes
Collar

Trinid

CABO
DE SAN
ANTONIO

CABO CORRIENTES

Nueva Gerona

Isla de la Juventud

Isle of Youth

Cayo
Largo

Canal de Yucatán

Yucatan Channel

Arc

Mar Caribe

Caribbean Sea

20°

CAYMAN ISLANDS

CUBA

0 50 100 150 km

0 50 100 mi

84°

80°

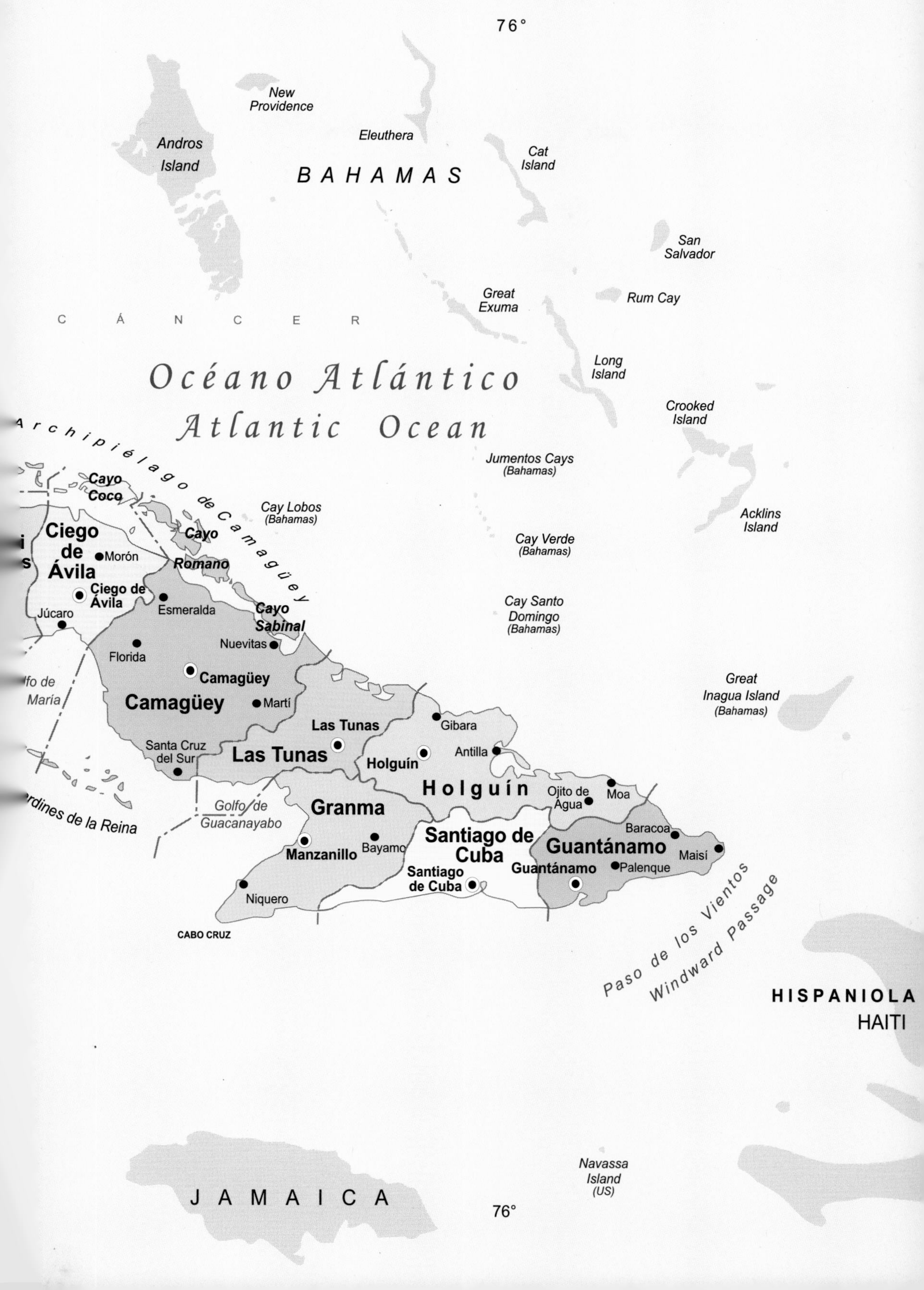

76°

New
Providence

Andros
Island

Eleuthera

BAHAMAS

Cat
Island

San
Salvador

Great
Exuma

Rum Cay

C Á N C E R

Océano Atlántico

Atlantic Ocean

Long
Island

Crooked
Island

Archipiélago de Camagüey

Jumentos Cays
(Bahamas)

Cayo
Coco

Cay Lobos
(Bahamas)

Acklins
Island

Ciego
de
Ávila

Morón

Cayo
Romano

Cay Verde
(Bahamas)

Ciego de
Ávila

Esmeralda

Júcaro

Cayo
Sabinal

Cay Santo
Domingo
(Bahamas)

Nuevitas

Florida

Camagüey

fo de
María

Camagüey

Martí

Great
Inagua Island
(Bahamas)

Las Tunas

Gibara

Santa Cruz
del Sur

Las Tunas

Holguín

Antilla

Holguín

Ojito de
Agua

Moa

Golfo de
Guacanayabo

Granma

rdines de la Reina

Baracoa

Santiago de
Cuba

Guantánamo

Manzanillo

Bayamo

Maisí

Santiago
de Cuba

Guantánamo

Palenque

Niquero

CABO CRUZ

Paso de los Vientos

Windward Passage

HISPANIOLA

HAITI

Navassa
Island
(US)

JAMAICA

76°

Golfo de México

Gulf of Mexico

Estrecho de la Florida

Straits of Florida

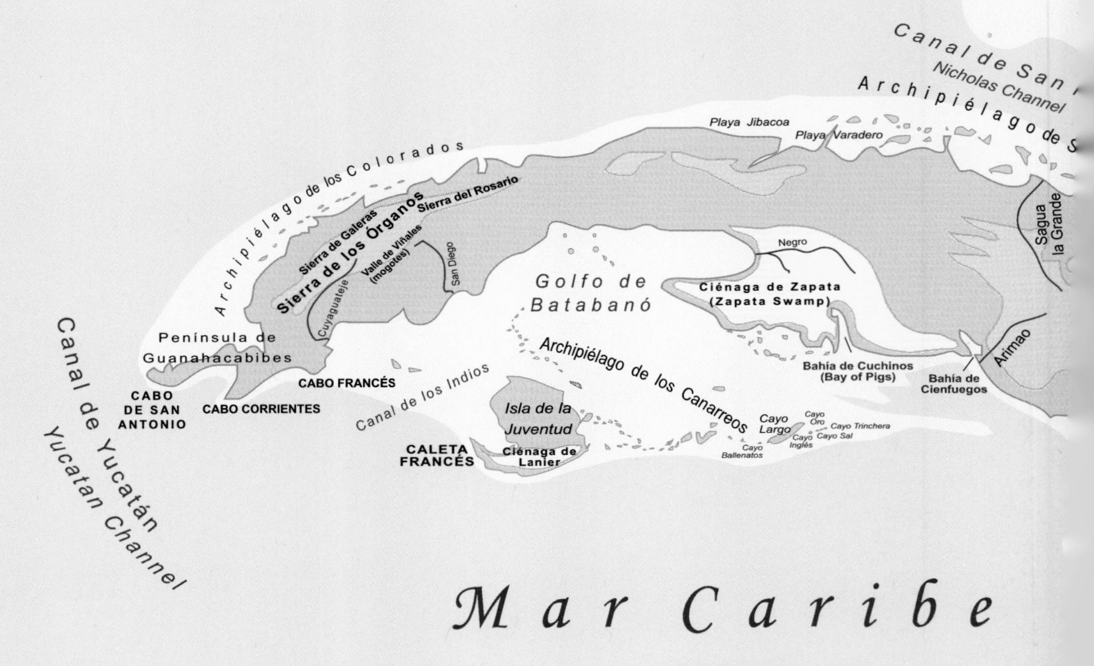

Caribbean Sea

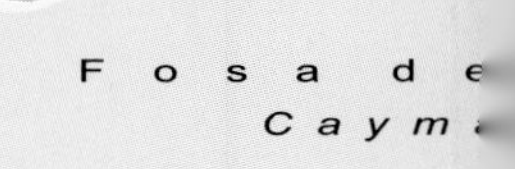

CUBA

	Max -200m		>200m
	Min -200m		<200m
	Ciénaga/wetland		

Océano Atlántico
Atlantic Ocean
Canal Viejo de Bahama
Old Bahama Channel
Archipiélago de Camagüey
Bahía de Jigüey
Cayo Coco
Cayo Romano
Bahía de la Gloria
Cayo Sabinal
Bahía de Nuevitas
Zaza
Negros
Caonao
Sierra de Cubitas
Máximo
del Escambray
Golfo de
na María
Saramaguacán
Playa Santa Lucía
Playa Guardalavaca
Bahía de Nipe
Cauto
Sierra del Cristal
Cuchillas de Toa
Toa
El Yunque 581m
PUNTA DE MAISI
Yumurí
Jauco
Sierra del Purial
Sierra de Mariana
Sierra de Canasta
Contramaestre
Bayamo
Yara
Golfo de Guacanayabo
de los Jardines de la Reina
Sierra Maestre
Pico Turquino 1972m
El Sardinero
La Gran Piedra 1214m
Playa la Coloradas
CABO CRUZ
Paso de los Vientos
Windward Passage
tlett
nch

El perezoso cubano gigante *Megalocnus rodens* fue el mayor de una media docena de especies de perezosos que vivieron en Cuba. Aunque desconocemos la coloración del pelaje, el tamaño de las orejas y otras características externas, puede adivinarse algo de su aspecto físico a partir del estudio de sus osamentas. El esqueleto de *Megalocnus* lo marca como eminentemente terrestre. Sus largas garras y potentes extremidades también sugieren que pudo haber tenido alguna limitada capacidad para trepar. Sus labios parecen haber estado surtidos por nervios y vasos sanguíneos de gran tamaño, lo cual indica que pudo utilizarlos (en combinación con la lengua) para arrancar hojas y otros materiales de las ramas.

The giant Cuban sloth Megalocnus rodens *was the largest of the half-dozen species of sloths that inhabited Cuba. Although pelt coloration, ear size and other external features are unknown, something of the physical appearance and adaptations of the Cuban sloths can be gleaned from the study of their bones. The skeleton of* Megalocnus *marks it as basically a ground dweller. However, its large claws and powerfully built limbs also suggest that it might have been capable of limited climbing. Its lips seem to have been served by nerves and blood vessels of large size, suggesting that they may have been used (in combination with its tongue) to strip off leaves and other plant material.*

Cuba en el Pasado
Cuba Past

Los viajeros—incluso aquellos con inclinaciones por el naturalismo—jamás acostumbran a visitar las islas con el ánimo de observar mamíferos terrestres, a no ser que estén interesados en los murciélagos. En parte esto se debe a que la mayoría de las personas no asocian a los mamíferos con las faunas de las islas. A las aves sí, por supuesto; así como a los reptiles, ya sean lagartos o serpientes. También los insectos, arañas y otros invertebrados que en las islas son legión. Pero no mamíferos, no por lo común. A partir de esto, uno pudiera concluir que la mayoría de las islas nunca estuvieron pobladas por mamífero terrestre alguno, lo que sería cierto si sólo considerásemos la situación actual. Esto, sin embargo, pasaría por alto el hecho de que muchas islas tuvieron hasta hace poco—hasta que a ellas llegaron los humanos—sus propias faunas de mamíferos. Sin embargo, dichas faunas sufrieron un colapso, en ocasiones pocas décadas después del arribo del primer hombre.

En algunos casos el descalabro afectó sólo a los mamíferos de mayor talla, mientras que las especies más pequeñas se las arreglaron para sobrevivir. Esto ocurrió, por ejemplo, en Madagascar, donde hace apenas 1.000 años había lemures de la talla de un gorila e hipopótamos de patas cortas.

Travelers—even ones with naturalistic leanings—don't ordinarily go to islands to watch land mammals, unless they happen to be interested in bats. This is partly because most people don't associate mammals with island fauna. Birds, of course; reptiles, like lizards and snakes, certainly. And insects and spiders and other invertebrates by the legion. But not mammals, not usually. One might conclude from this that most islands never had any land mammals on them, which would be true in a strictly actuarial sense. But it would overlook the point that, in fact, many islands supported unique mammalian faunas until comparatively recently—indeed, until the appearance of humans. Then, in short order, the faunas collapsed, sometimes within scant decades after the first human footfall.

In some cases the collapse affected mammals of large body size, while smaller species managed to survive. This is true, for example, of Madagascar, where only 1000 years ago there were gorilla-sized lemurs and short-legged hippos. These are all gone; today, the largest lemur, the teddy-like indri, weighs in at about 20 pounds. On other islands, the losses were utterly catastrophic: all land mammals, whether large or small, disap-

Todos ellos desaparecieron, y ahora el mayor lemur viviente, el felpudo indri, pesa apenas 9 kg. En otras islas las pérdidas fueron catastróficas: todos los mamíferos, grandes o chicos, desaparecieron. Así ocurrió, por ejemplo, en algunas de las islas Galápagos, y en muchas otras del Mediterráneo central.

Esto aconteció también más cerca de nosotros, en las Antillas. En los últimos milenios las islas que componen este grupo han perdido el 90 porciento de su fauna de mamíferos terrestres. En proporción a su tamaño ellas han sufrido más bajas en los últimos tiempos que ningún otro lugar del planeta. La cifra a recordar es que desde el año 1500 hasta la fecha, entre la cuarta y la tercera parte de todas las extinciones de mamíferos han ocurrido en las Antillas.

Lo anterior genera dos preguntas: ¿qué tipos de mamíferos vivieron otrora en Cuba?, y ¿qué les pudo ocurrir? Gracias al esforzado y voluminoso trabajo realizado por paleontólogos profesionales y aficionados a las ciencias en Cuba, hoy conocemos bastante acerca de los mamíferos extinguidos ya hace mucho tiempo. Cavando en cuevas y otros lugares donde los huesos y dientes de animales prehistóricos se preservan bien, estos mineros del hueso han puesto al descubierto toda una herencia que nos era desconocida. La segunda pregunta—¿por qué desaparecieron casi todos?—es difícil de contestar, aunque es casi seguro que los humanos jugaron un papel sustancial, ya sea directo o indirecto.

Es un capricho de la naturaleza que uno de los grupos más extraños de los mamíferos del Nuevo Mundo haya encontrado un hogar—e incluso prosperado—en

peared. This is what happened, for example, on some of the Galapagos islands, and on many of the islands of the central Mediterranean.

It also happened much closer to home, in the West Indies. Indeed, the islands making up the West Indies have, overall, lost almost 90 percent of their land-mammal fauna in the past several thousand years. In this respect they have suffered proportionately more losses in recent times than any other place on Earth. The figure to remember is that somewhere between one-quarter and one-third of all mammalian extinctions since 1500 occurred in the West Indies.

All of this naturally inspires some questions: what kinds of mammals once lived in Cuba, and what has happened to them? Thanks to a considerable amount of hard work by professionally trained paleontologists and interested amateurs in Cuba, we now know quite a bit about long-vanished mammals. Digging in caves and other hard-to-reach places that preserve bones and teeth, these miners of bone have uncovered an entire heritage that was previously unknown. The second question—why nearly all of them have disappeared—is difficult to answer, although it is practically certain that humans played a substantial role, directly or indirectly.

It is a whimsy of Nature that one of the strangest groups of New World mammals should have found a home—indeed, prospered—in the West Indies. These are the "sloths" of everyday speech, but the "tardigrades" of scientists. Either way, the Latinate roots say very nearly the same

las Antillas. Se trata de los así llamados "perezosos", conocidos como "tardígrados" por los científicos. De cualquier manera, las raíces del latín se refieren en esencia a lo mismo, subrayando el andar pausado de estos animales, sin que por esto nadie les acuse de verdadera pereza.

Los tardígrados son miembros de un singular grupo de mamíferos que al parecer se originó en América del Sur, al menos tan temprano como al final de la Era de los dinosaurios, hace más de 65 millones de años. Miembros de esta familia que aun viven con nosotros son los armadillos, los osos hormigueros y los tremendamente lánguidos perezosos. Aunque en la actualidad están reducidos a sólo dos tipos—los de dos y los de tres dedos, circunscritos a las selvas de Suramérica—los tardígrados formaron una vez parte considerable de la comunidad de herbívoros del Nuevo Mundo.

Y resulta sorprendente que uno de los grupos de perezosos—los megaloníquidos—se las arreglara para llegar a varias islas antillanas. Con la excepción de Jamaica, las restantes Antillas Mayores (y algunas de las Menores) le dieron albergue a una o más especies de tardígrados; pero fue en Cuba donde los perezosos alcanzaron su más alto grado de diversidad. El número de especies fósiles científicamente válidas que vivieron en Cuba es materia de discusión entre los especialistas, pero un estimado razonable establecería entre 4 y 6. Estas tenían tamaños que oscilaron entre gigantes de 200 kg de peso, como el *Megalocnus rodens*, ilustrado aquí, hasta el más bien grácil *Miocnus*, cuyo peso quizás no sobrepasaría el de un perro de mediana

thing as the Anglo-Saxon about unhurried movement, albeit without the whiff of deadly sin.

Tardigrades are members of a distinctive group of mammals that seems to have originated in South America at least as early as the end of the Age of Dinosaurs, more than 65 million years ago. Familiar members of this larger group that are still with us include the armadillos, the hairy anteaters, and the impossibly languid tree sloths. Now reduced to but two kinds, the two-toed and three-toed sloths of the forests of South America, tardigradans once formed a considerable fraction of the New World's herbivore community.

Surprisingly, one group of sloths—the megalonychids—managed to get to a number of islands in the West Indies. With the exception of Jamaica, each of the Greater Antilles (and several of the smaller West Indian islands) supported one or more species of tardigradans, but it was in Cuba that sloths reached their highest degree of diversification. How many valid species existed in Cuba is a matter of debate among specialists, but a reasonable estimate would be between 4 and 6. They ranged in size from 450-pound behemoths like *Megalocnus rodens*, pictured here, to the relatively gracile *Miocnus*, which probably weighed no more than a medium-sized dog. Because of their size the largest sloths were probably largely ground dwelling, and therefore deserve the epithet "ground sloths." The skeletons of smaller species, however, bear the clear imprint of arboreal agility. Sloth remains are abundant in Cuban caves, and there are reports of complete skeletons still in

talla. Debido a su tamaño, los mayores probablemente se desplazaban sobre la tierra y por eso se les conoce como "perezosos terrestres". El esqueleto de las especies pequeñas, sin embargo, muestra evidencias de agilidad arbórea. Los restos fósiles de los perezosos son abundantes en las cuevas de Cuba, y hay reportes de esqueletos completos aún articulados. Aunque se pueden encontrar explicaciones alternas, es bien posible que al menos algunas de estas bestias se cobijaran en las cuevas, donde sus residuos han sido encontrados.

Si los perezosos son miembros inesperados de la fauna antillana, lo mismo se debe decir de los monos. Las evidencias respecto a la existencia de monos nativos de las islas caribeñas fue escasa y ambigua hasta los primeros años de la década del 50, cuando se describió un primate de Jamaica sobre la base de una mandíbula inferior, que había permanecido olvidada casi tres décadas en la gaveta de un museo. Desde entonces han aparecido otros huesos fósiles de monos, tanto en Jamaica como en La Española. El descubrimiento más espectacular de todos, sin embargo, vino de una cueva en lo alto de la Sierra de los Órganos, en la región central de Pinar del Río. La cueva fue bautizada como Cueva del Mono Fósil por los autores del hallazgo, miembros del grupo espeleológico Pedro Borrás. Esta cueva está situada en medio de una región montañosa donde se encuentran los famosos mogotes, elevaciones de paredes verticales que de lejos parecen una manada de enormes paquidermos petrificados. En lo profundo de la Cueva del Mono Fósil los espeleólogos encontraron un cráneo casi completo de un mono grande, luego nom-

articulation. Although alternative explanations can be found, it seems fairly likely that at least some of these beasts denned in the caves in which their remains have been discovered.

If sloths are improbable members of the Antillean fauna, then the same must be said of monkeys. Evidence for the existence of native monkeys in the West Indies was meager and ambiguous until the early 1950s, when a primate from Jamaica was described on the basis of a lower jaw which had languished in a museum drawer for almost three decades. Since then, a number of additional monkey bones have been found in Jamaica as well as Hispaniola. The most spectacular find of all, however, comes from a cave high in the Sierra de los Órganos in central Pinar del Río, evocatively named Cueva del Mono Fósil (Cave of the Fossil Monkey) by its discoverers, members of the speleology club Grupo Pedro Borrás. The cave is located within the region of *mogotes*—the steep-walled "haystack hills" that rise up from the surrounding countryside like a train of petrified elephants. Deep within Cueva del Mono Fósil, the speleos found a nearly complete skull of a large monkey which was later dubbed *Paralouatta varonai* by its describers, Manuel Rivero de la Calle and Oscar Arredondo.

Paralouatta was originally thought to be closely related to the howler monkey (*Alouatta*) of South America. On the basis of additional fossils found in several later expeditions, Inés Horovitz (State University of New York, Stony Brook) and I were able to show that the Cuban

Hace una década se descubrieron los restos del mono cubano *Paralouatta varonai*. Este primate de gran tamaño es pariente de los monos tití de América del Sur, y se conoce de un sólo sitio en el occidente de Cuba. Los huesos de sus extremidades sugieren que no debió ser muy acrobático, y que incluso pudo haber pasado parte de su tiempo en el suelo. Sus dientes indican que estaba adaptado a una dieta de frutas y semillas blandas.

Remains of the Cuban monkey, Paralouatta varonai, *were discovered a decade ago. A relative of the titi monkeys of South America, this large primate is known from only a single site in western Cuba. Its limb bones suggest that it was probably not very acrobatic, and it may have even spent some time on the ground. Its teeth indicate that it was primarily adapted to a diet of fruits and soft seeds.*

brado *Paralouatta varonai* por Manuel Rivero de la Calle y Oscar Arredondo, quienes lo describieron.

Al principio se pensó que *Paralouatta* estaba más estrechamente relacionado con el mono aullador (*Alouatta*) de América del Sur. Pero luego, sobre la base de nuevos hallazgos de fósiles en varias expediciones subsiguientes, con Inés Horovitz (de la Universidad Estatal de Nueva York, Stony Brook), pudimos demostrar que el mono cubano tenía un parentesco más cercano con *Callicebus*, el mono tití, que, aunque también Suramericano, pertenece a un linaje bien diferente del aullador. Los monos que vivieron en Jamaica y La Española también parecen estar relacionados con los tities. Esto sugiere que todos los monos nativos de las Antillas se han derivado de un mismo grupo ancestral.

Sobre la antigüedad de este grupo en las Antillas Mayores sólo se pueden hacer conjeturas. En Cuba central, en la localidad de Domo de Zaza, junto con Manuel Iturralde (del Museo Nacional de Historia Natural, Cuba) descubrimos, en sedimentos de unos 17 millones de años de antigüedad, al que pudiera ser el pariente más cercano de *Paralouatta*. Sólo encontramos un huesecillo del pie, la pieza menos impresionante que uno pudiera imaginar. Ocurre, sin embargo, que los huesos del pie son muy informativos. Se puede decir, por ejemplo, que su dueño fue un cuadrúpedo arborícola.

Insectívoros son cualesquiera animales en cuya dieta jueguen un papel importante los artrópodos. Existe también, sin embargo, un grupo natural de mamíferos placentarios que llamamos Insectivora, cuyos

monkey is more closely related to *Callicebus*, or titi monkey, also from South America but quite distinct from the howler lineage. The monkeys that lived in Jamaica and Hispaniola seem to also be related to titis. It now appears likely that all of the known native monkeys of the West Indies derive from one stock.

How old the monkey stock might be in the Greater Antilles is anyone's guess. In central Cuba, at the locality of Domo de Zaza, Manuel Iturralde (National Museum of Natural History, Havana) and I discovered what might very well be *Paralouatta*'s closest relative, in sediments about 17 million years old. All we have is a footbone, about as physically unimpressive a specimen as can be imagined. However, footbones happen to be very informative. We can tell, for example, that this particular footbone was definitely from a primate, and that its owner was probably a fairly generalized arboreal quadruped.

"Insectivores" are any animals that rely on arthropods for a significant proportion of their diet. However, there is also a natural group of placental mammals, Insectivora, the most familiar members of which are hedgehogs and common shrews. Insectivorans are quite ancient as a distinct phylogenetic unit, going back well into the late Mesozoic, 100 million years ago. Because they are also extremely primitive, it has been difficult to determine the identity of their closest living relatives (aardvarks, carnivores and primates are among the possibilities). Insectivorans may have originated on northern continents, where their fossil

miembros más comunes son los erizos y las musarañas. Estos insectívoros representan una unidad filogenética bien diferenciada, cuya antigüedad se remonta hasta el Mesozoico tardío, hace más de 100 millones de años. Por ser también en extremo primitivos, ha resultado difícil determinar la identidad de sus parientes vivos más cercanos (que pudieran ser los aardvarks, los carnívoros o los primates). Los insectívoros pudieron haberse originado en los continentes norteños, donde su registro fósil es más viejo; pero su historia en África (incluída Madagascar) es también antigua, aunque el registro de su existencia allí sea menos completo. Resulta sorprendente que su presencia en América del Sur parece que comienza sólo en época muy reciente.

Los insectívoros son parte de la historia de los mamíferos cubanos porque dos de los miembros más extraordinarios de la fauna de vertebrados de la isla pertenecen a este grupo: *Solenodon*, representado por una especie viviente y una o dos extintas; y *Nesophontes*, cuyas especies están hoy todas extintas.

Tal como dice Alfonso Silva Lee en otra parte de este libro, *Solenodon cubanus* (o almiquí) es hoy día muy escaso. Probablemente persista sólo en la Sierra Cristal y quizás en uno que otro sitio muy apartado. Antes, sin embargo, vivía de un extremo a otro de la isla; los restos fósiles de almiquíes aparecen en los sedimentos de las cuevas por toda la isla mayor, y también en la Isla de la Juventud. Otra especie relacionada con ella, *Solenodon paradoxus*, sobrevive en La Española. Las especies de *Nesophontes* tuvieron una distribución más amplia. Sus fósiles han sido encontrados

record is longest, but they are ancient as well in Africa (including Madagascar), although the record of their tenure there is much less satisfactory. Oddly enough, they do not seem to have had a presence in South America until very recently.

Insectivorans are part of the story of Cuban mammals because two of the most unusual members of the island's vertebrate fauna are members of this group: *Solenodon*, represented by one living and one or two extinct species; and *Nesophontes*, all species of which are now extinct.

As Alfonso Silva Lee notes elsewhere in this book, *Solenodon cubanus* (or *almiquí*) is now extremely rare. It probably persists only in Sierra del Cristal and one or two other equally out-of-the-way spots. Formerly, however, its distribution was essentially islandwide; remains of *almiquís* are known from cave deposits throughout the mainland of Cuba and also from the Isle of Youth. A related species, *Solenodon paradoxus*, survives in Hispaniola.

Species of *Nesophontes* were more broadly distributed. They have been found as fossils in mainland Cuba, Isle of Youth, Hispaniola, Puerto Rico, and Cayman Islands. All that we know scientifically about *Nesophontes* comes from the study of bony remains. There is evidence that some species survived until comparatively recently—maybe as late as 1900 in some areas—but there is no record of one ever having been seen in the flesh. How old the lineage of *Solenodon* and *Nesophontes* may be within the West Indies is not known, although it is clearly ancient.

Una lechuza, *Tyto alba*, cae en picada sobre un almiquí joven (*Solenodon cubanus*), que está ocupado comiéndose un escarabajo. Ambas especies aún viven en Cuba, aunque el almiquí está seriamente amenazado de extinción. *Nesophontes*, un primo del almiquí de talla mucho menor, jamás ha sido colectado vivo, y se supone extinto. En los sedimentos de las cuevas aparecen con frecuencia los huesos de muchos mamíferos pequeños y de otros vertebrados, depositados allí por las lechuzas.

A barn owl, Tyto alba, *swoops down on a young* almiquí (Solenodon cubanus) *busily eating a beetle. Both of these species still live in Cuba, although the almiquí is highly endangered. The* almiquí's *considerably smaller cousin,* Nesophontes, *has never been collected alive and is presumed to be extinct. Cave deposits are often full of bones of small mammals and other vertebrates, dropped there by owls.*

en la isla mayor de Cuba, Isla de la Juventud, La Española, Puerto Rico y las islas Caimán. Todo lo que la ciencia sabe de *Nesophontes* viene del estudio de sus restos óseos. Existe evidencia de que algunas especies sobrevivieron hasta hace muy poco—en algunas regiones quizás hasta el año 1900—pero no hay conocimiento de que haya sido observado en carne y hueso. Se desconoce cuál pudiera ser la antigüedad del linaje de *Solenodon* y de *Nesophontes* en las Antillas, aunque está claro que es lejano.

Los roedores, el cuarto gran grupo de mamíferos que se estableció en Cuba, están representados aun por las jutías del género *Capromys*. Algunas de estas especies de jutías se conocen sólo de localidades muy restringidas, como los cayos que adornan las costas sur y norte de la isla. Las características que distinguen estas especies de aquellas de la isla, deben haber surgido en apenas unos pocos miles de años, pues muchos de estos cayos estaban unidos a Cuba antes de que el nivel del mar recobrara su posición actual. Durante el máximo de la última glaciación el nivel del mar descendió alrededor de 100 metros; y estuvo casi 10 metros por debajo del nivel actual hace sólo 5.000 años. En Cuba se han descrito varias jutías extintas, de modo que el número total de especies se eleva a unas 20. Es evidente que las jutías tuvieron una radiación adaptativa hacia un número de nichos, tanto terrestres como arborícolas.

Aún así, la diversidad de roedores a nivel de familia era inferior en Cuba que en las demás Antillas Mayores. Además de los caprómidos, representados por las jutías, la otra única familia presente en Cuba fue

Rodents, the fourth major group of mammals that reached Cuba, are still present on the island in the form of several species of the hutia, *Capromys*. A number of nominal hutia species are known only from very restricted locales, like the keys that adorn the north and south coasts of the main island. Some differences must have arisen in only a few thousand years, since many of these keys would have been part of Cuba proper before sea level recovery. At the peak of the last Ice Age, sea level was depressed by more than 300 feet; it was still 30 feet below the current level as recently as 5000 years ago. A number of extinct hutias have been described as well, bringing the total number of species in this group to approximately 20. Evidently, hutias adaptively radiated into a number of niches, both terrestrial and arboreal.

Despite these numbers, rodent diversity at the family level was lower in Cuba than the other Greater Antilles. In addition to the capromyids, of which the hutias are representative, the only other family certainly present in Cuba was Echimyidae (spiny rats), now wholly extinct in the West Indies but surviving and well diversified in South America.

Several subfamilies of capromyids are recognized. At present Cuba has only one, but nearby Hispaniola has three. One might explain this difference by asserting that only one kind of capromyid reached Cuba. Or, it could be argued that representatives of all the other subfamilies had indeed reached Cuba, but two of them died out.

In 1994, Iturralde and I were able to

Echimyidae (las ratas espinosas), ya hoy extintas en las Antillas, pero vivientes y bien diversificadas en América del Sur.

En las Antillas Mayores se reconocen varias subfamilias de caprómimos. Hasta el presente en Cuba se ha descrito una sola, mientras que la cercana La Española tiene tres. Uno pudiera explicar esa diferencia afirmando que sólo un tipo de caprómido llegó a Cuba. Pero de igual manera pudiera argumentarse que los representantes de las otras subfamilias también llegaron a Cuba, pero luego dos de ellas se extinguieron. Una manera de probar esto sería llevando a cabo la búsqueda de los taxones "perdidos".

En 1994, en compañía de Manuel Iturralde pudimos demostrar que esto había ocurrido realmente así. Nosotros trabajamos de nuevo en Domo de Zaza, y esta vez obtuvimos en recompensa un diente de caprómido del Mioceno, de unos 17 millones de años de antigüedad. Este nuevo animal, sin embargo, no pertenecía a la subfamilia que incluye a las jutías cubanas. La nueva especie, a la que dimos el nombre de *Zazamys veronicae*, tuvo que ser ubicada en Isolobodontinae, una de las subfamilias de La Española que se creía ausente en Cuba. Esta experiencia subraya la importancia de los datos paleontológicos en la interpretación de la historia biogeográfica de las islas y sugiere que otras familias de mamíferos, de las cuales no tenemos registro alguno, pudieron haber llegado a Cuba en el pasado lejano.

Es sorprendente que, por ejemplo, siendo los mamíferos carnívoros una parte conspícua de las faunas continentales del Nuevo Mundo, no se conozcan especies nativas en las islas antillanas. Sin embargo,

show that this very scenario had actually occured. We were again working at Domo de Zaza, and this time we were rewarded with a tooth of a Miocene capromyid, approximately 17 million years old. However, the new find did not belong in the subfamily that includes the Cuban hutia. Instead, *Zazamys veronicae*, the name we gave our new species, had to be placed in Isolobodontinae, one of the Hispaniolan subfamilies thought to be absent from Cuba.

This experience underlines the importance of paleontological data in interpreting the biogeographical history of the islands. It also raises the possibility that there may well be other mammalian groups that reached Cuba in the distant past, but for which we have no record as yet.

It seems remarkable, for example, that there were no native species of mammalian carnivores on any of the West Indian islands, since carnivores are a conspicuous part of the continental faunas of the New World. Yet the bulk of the evidence indicates that they never made it to these islands on their own. Some doubtfully distinct species of raccoons and dogs have been described as occurring "naturally" in Cuba and elsewhere, but I am unconvinced by the material I have seen. The raccoons differ very little from the common raccoon, *Procyon lotor*, and the dogs are just that—essentially indistinguishable from *Canis familiaris*. (The famous mute dog, or *perro mudo*, has not been persuasively shown to have been a separate species; if it existed, it was presumably an Amerindian breed as Alfonso

el grueso de la evidencia indica que jamás llegaron a éstas tierras. Algunos mapaches y perros de especies dudosamente distintas se han descrito como si fueran nativos de Cuba y otras islas, pero el material óseo que he examinado no es convincente. Los mapaches "nativos" se diferencian muy poco del mapache común, *Procyon lotor*, y los perros son sólo éso, y en esencia indistinguibles de *Canis familiaris* (no se ha demostrado que el famoso perro mudo haya sido una especie distinta; si existió, probablemente era una raza amerindia, como lo indica Alfonso Silva Lee). Si estos u otros mamíferos carnívoros hubieran estado aislados en las Antillas durante un período de tiempo prolongado, de seguro su morfología hubiera divergido de la de sus parientes cercanos en el continente. Además de la ausencia de evidencia fósil, hay un excelente motivo para pensar que los mamíferos carnívoros nunca formaron parte de la fauna nativa de Cuba. En el Pleistoceno cubano, hace 10.000 a 1.6 millones de años, hubo vertebrados comedores de carne, pero todos los que conocemos vestían plumas. Oscar Arredondo, el laborioso paleontólogo cubano que ha traído a la luz la mayoría de estos depredadores ya extintos, ha encontrado toda una avifauna ya extinguida de buhos, lechuzas y otras rapaces. Estas aves obviamente ocupaban el nicho de los devoradores de carne, que los mamíferos no habían llenado. Un miembro aberrante de este gremio, y propio de pesadillas, fue *Ornimegalonyx oteroi*, que aparece ilustrado aquí. Esta ave debió perseguir a sus presas corriendo tras de ellas, pues era incapaz de volar. Es muy improbable que un raptor tan especializado

Silva Lee indicates.) If these or any other mammalian carnivores had been isolated on West Indian islands for a long period, they surely would have become morphologically divergent from their close continental relatives.

Apart from the absence of fossil evidence, there is an additional excellent reason to consider that mammalian carnivores were never a part of the native fauna of Cuba. There were vertebrate meat-eaters in the Cuban Pleistocene, between 1.6 million and 10,000 years ago—but all of the ones we know about were feathered. Oscar Arredondo, the outstanding Cuban paleontologist who has done the most to bring these vanished predators to light, has uncovered a whole avifauna of vanished owls and other raptors that evidently filled the meat-eater niches left unoccupied by mammals. One rather bizarre member of this guild is illustrated here: the nightmarish *Ornimegalonyx oteroi*, which must have stalked its prey since it was incapable of flying. It is highly improbable that a raptor as functionally specialized as *Ornimegalonyx* could have evolved in Cuba if it had to compete with a mammalian carnivore.

At the beginning of this essay I remarked that the vast majority of the extinct mammals of Cuba disappeared very recently. Gary Morgan (University of New Mexico) and Charles Woods (University of Florida) have shown that most of the losses have occurred since the arrival of people on this and other islands in the West Indies. But how did this faunal holocaust happen in detail? In

como *Ornimegalonyx* hubiese podido evolucionar en Cuba si tuviese que competir con mamíferos carnívoros.

Al comienzo de este ensayo expresé que la mayoría de los animales extintos en Cuba habían desaparecido muy recientemente. Gary Morgan (de la Universidad de Nuevo México) y Charles Woods (de la Universidad de la Florida) demostraron hace poco que la mayoría de las pérdidas ocurrieron, tanto en Cuba como en otras islas antillanas, a partir del arribo de los humanos. Pero, ¿comó ocurrió, en detalle, este holocausto faunístico? Al responder esta pregunta es necesario considerar de manera separada el período amerindio y el europeo, pues en ambos han ocurrido extinciones.

Los arqueólogos debaten hoy la fecha de arribo a las Antillas de los primeros humanos; la evidencia más temprana, escasa y pobre, sugiere que pudieron haber llegado a Cuba y La Española 7.000 años atrás. Hace cinco milenios ya se encontraban bien instalados en todas las Antillas Mayores excepto Jamaica. ¿Qué pudieron haber hecho ellos, de forma

answering this question it is useful to consider separately the Amerindian and European periods, because extinctions occurred in both.

When humans first came into the West Indies is debated by archeologists; the earliest evidence, poor in quality, suggests that they may have reached Cuba and Hispaniola as early as 7000 years ago. By 5000 years ago they were well entrenched throughout the Greater Antilles, except for Jamaica. What might they have done, directly or indirectly, to cause such widespread extinction?

This question has no simple, evident answer. Although there is ample evidence that human-induced habitat destruction is a leading cause of endangerment in the modern world, there is actually very little to indicate that the early Amerindian residents of the West Indies had a decidedly deleterious effect on their environment. Widespread burning of forest, for example, which may have had a severe effect on the native fauna of Madagascar, does not seem to have occurred in the West Indies. Similarly, there is no positive evidence

El buho gigante corredor, *Ornimegalonyx oteroi*, se conoce de varias localidades fosilíferas de Cuba. Esta ave, enorme para su tipo, con casi un metro de estatura, es uno de los mayores buhos conocidos en el registro fósil. Demasiado grande para volar, sus alas eran muy reducidas y quizás carecían de utilidad alguna. Se ha sugerido, sin embargo, que las largas patas debieron permitirle alcanzar sus presas mediante la carrera, a la manera de los mamíferos depredadores. En esta reconstrucción se muestra al pájaro persiguiendo a una jutía, uno de los roedores nativos de Cuba.

The giant cursorial owl, Ornimegalonyx oteroi, *is known from several fossil sites in Cuba. This relatively enormous bird may have stood 3 feet high, making it one of the largest owls in the fossil record. Too big to fly, its wings were highly reduced and probably functionless. However, it has been suggested that its greatly elongated legs would have permitted it to run down its prey, almost in the manner of a predatory mammal. In this reconstruction, one bird is shown giving chase to a hutia, one of the native rodents of Cuba.*

directa o indirecta, para causar extinciones tan abarcadoras?

Esta pregunta no tiene una respuesta sencilla o evidente. Aunque en el mundo moderno hay amplia evidencia de que la destrucción de los hábitats por el hombre es la amenaza fundamental al bienestar de las especies, hay en realidad pocos indicios que apunten hacia un efecto decididamente deletéreo de los primeros amerindios sobre su entorno. Por ejemplo, la práctica de quemar bosques en gran escala, que pudo haber tenido un efecto severo sobre la fauna nativa de Madagascar, al parecer nunca ocurrió en las Antillas. De igual manera, no hay evidencia positiva de que en estas islas haya tenido lugar la cacería desmedida. Los animales extintos aparecen sólo de rareza entre los restos de la dieta aborigen, y tienden a ser especies de pequeño tamaño. De haber habido cacería desmedida, ¿por qué en los residuarios no abundan los huesos de monos y perezosos?

La introducción de especies exóticas es otra de las causas de extinción bien conocidas, pues las especies foráneas pueden desplazar a las endémicas, o amenazarlas en uno u otro sentido. Sin embargo, es difícil imaginar cómo los perros y otras pocas especies traídas a propósito por los amerindios (como los conejillos y agutíes semidomésticos que introdujeron en algunas islas) pudieron haber llevado a la extinción a tantas especies antillanas. A nuestro esfuerzo por definir la causa de las extinciones en las islas le falta, probablemente, alguna información crucial. En mi opinión, la causa más probable fueron las enfermedades introducidas. El aislamiento y la especialización para la vida en las islas con-

that overhunting occurred on an unusual scale on these islands. Extinct animals are only very rarely encountered in kitchen middens, and the ones that do occur tend to be smaller species. If overhunting took place, why are middens not filled with the bones of sloths and monkeys?

The introduction of exotic species is another acknowledged cause of endangerment and extinction, because foreign species may outcompete or otherwise imperil endemic taxa. However, it is hard to see how dogs and the few other species that were purposely brought in by Amerindians (such as semidomesticated guinea pigs and agoutis on some islands) could have driven so many Antillean species to extinction. We are probably missing something crucial in our efforts to pinpoint the cause of vertebrate extinctions on islands. In my opinion, introduced diseases are the likeliest culprit. Isolation and specialization for island life carries hidden costs—costs that can become unbearably high should conditions change. A newcomer may bring in pathogens that island species have never been exposed to; if the pathogens are especially lethal to their new hosts, complete collapse of populations may be the result. The "disease theory" is especially interesting because it does not require the inference that technologically unsophisticated peoples were particularly prone to killing or habitat destruction, a scenario at odds with the view of human ecologists that primitive peoples tend to be "in tune" with their environments.

For extinctions that occurred much later in time, like the loss of *Nesophontes*

lleva un costo oculto, y este pudiera ser insoportable cuando cambian las condiciones. Un recién llegado puede traer consigo patógenos a los cuales las especies isleñas jamás han estado expuestas; si los patógenos son particularmente letales para con sus nuevos hospederos, podría resultar en un colapso total de las poblaciones. La "teoría de las epidemias" es de interés especial, ya que no requiere inferir que un pueblo carente de tecnología sofisticada se haya sentido movido a ejecutar tanta matanza y destrucción ambiental, escenario que contradice el punto de vista de la ecología humana, que ve a los pueblos primitivos "en sintonía" con sus ambientes.

En el caso de las extinciones que ocurrieron hace menos tiempo, como la pérdida de *Nesophontes* y quizás la de la mayoría de los pequeños roedores nativos de las Antillas, probablemente debemos considerar otras causas. En este caso es más sensato pensar que la destrucción del hábitat y la introducción de especies exóticas tuvieron un efecto decisivo. El deterioro causado por la introducción de ratas y la mangosta ha sido, ciertamente, monumental. Durante los primeros años de la ocupación europea, Cuba perdió la mayor parte de sus bosques primarios, y esto ha tenido un efecto indudable sobre la distribución de las especies. Con un manejo adecuado, muchas áreas pueden eventualmente recuperar algo de su condición original. Pero respecto a los mamíferos, serán bosques silenciosos. Tal es el caso de Puerto Rico, que, aunque deforestado en un 99 porciento durante los primeros siglos, se encuentra hoy recubierto de densos

and perhaps many of the smaller native rodents of the West Indies, we probably have to look for culprits other than disease. Here it makes much more sense to think that habitat destruction and introduced species have had a decided effect. Certainly, the destruction caused by the introductions of rats and mongooses has been monumental. Cuba lost most of its primary forests in the early years of European occupation, and this too has had an undoubted effect on species distributions. With proper management, many areas may eventually be returned to something like their original condition—but, at least with respect to mammals, they will be silent forests. This is already the case in Puerto Rico, which was 99 percent deforested in earlier centuries, but has since become heavily treed once again. It has been suggested seriously that this shows how resilient tropical ecosystems are, because no vertebrate species are known for certain to have become extinct on that island during the past 200 years. This may be a fact, but it is a misleading one because nothing will bring back the species that are already gone.

If every tragedy contains a lesson for those willing to learn it, what can be usefully learned from the decimation of insular mammalian faunas? One of the clearest facts of natural history is that there is a connection between the size of a given area and the number of species it can support. It follows from this relationship that any reduction of area should also mean a reduction in the number of species supported. And in fact there is ample evidence to show that these reductions in

bosques. Se ha sugerido, con seriedad, que ello demuestra cuán tolerantes son los ecosistemas tropicales, pues en esa isla no se conoce de ninguna especie de vertebrado que se haya extinguido en los últimos 200 años. Esto puede ser un hecho, pero es uno que nos puede desorientar, pues nada podrá hacer regresar aquellas especies ya extinguidas. Si cada tragedia contiene una lección para aquellos interesados en aprenderla, ¿qué enseñanza provechosa podemos sacar de la extinción de las faunas insulares de mamíferos? Uno de los hechos mejor probados en historia natural es que hay una conexión entre el tamaño de un territorio y el número de especies que éste puede soportar. De esta relación se deriva que cualquier reducción en área también debe significar una disminución de la cantidad de especies en ellas contenidas. Y hay amplia evidencia para demostrar que, en realidad, ocurren reducciones del número de especies. Debido a esto, los científicos tienen gran preocupación por la fragmentación de los bosques tropicales—consecuencia de la tala total, la supresión de los bosques con fines de monocultivo, la urbanización, y la construcción de carreteras, entre otras causas—, lo cual pudiera en el futuro resultar en extinciones por oleadas, ya que los fragmentos aislados no son capaces de soportar a todas las especies que vivían en el bosque intacto original.

Otro problema, resultado de talar los bosques tropicales y convertirlos en parcelas separadas por espacios vacíos o por bosques secundarios, es que éstos inmediatamente pierden su humedad. Los bosques tropicales de humedad

species actually take place. For this reason, scientists have been particularly concerned that tropical forest fragmentation—caused by clearcutting, land clearance for monoculture agriculture, urbanization, roadbuilding, and so forth—will result in waves of extinction in the future because the fragments will not be able to support all of the species that the intact forest once sustained.

Another problem with cutting tropical forest into a series of small plots separated by open expanses or secondary growth is that it quickly ceases to function as *humid* forest. Continuous humid forest in the tropics is wet not only because it rains, but also because the evaporation rate is low. In order to thrive, many forest invertebrates must have conditions of high relative humidity. Cutting down forest opens the remnants up to the effects of wind and sun, and thereby the loss of moisture. In effect, the "edge" of a forest plot becomes larger proportionately as its area decreases, and it is this "edge effect" that is especially hazardous for biodiversity.

Forest fragments can be thought of as being "virtual" islands. The analogy is fundamental and crucial. Many of the problems of small size, isolation, and limited resources found in true islands occur in virtual islands as well. For animals that cannot adapt to their changed circumstances, the consequence will very likely be local extirpation or even outright extinction. As this book documents, the threat is terribly real, and the lesson is terribly clear: when next you contemplate the impending fate of the world's

permanente no están siempre mojados sólo a causa de las lluvias, sino también porque el ritmo de evaporación es bajo. Para prosperar, muchos invertebrados del bosque requieren condiciones de humedad alta. Al talar los bosques, estos quedan expuestos a los efectos del viento y el sol, y pierden su humedad. En la práctica, el "borde" de las parcelas se hace proporcionalmente mayor mientras más pequeñas sean estas, y este "efecto de borde" es un factor de particular peligrosidad para la biodiversidad.

Los fragmentos de bosque pueden considerarse como islas "virtuales". La analogía es fundamental y crucial. Muchos de los problemas relacionados con el pequeño tamaño, aislamiento y escasez de recursos propios de las verdaderas islas son comunes también a las islas virtuales. Para aquellos animales incapaces de adaptarse al cambio de circunstancias, la consecuencia es que quedarán extirpados de la localidad, o se extinguirán por completo. Tal como lo documenta este libro, la amenaza es terriblemente real, y la lección terriblemente clara: la próxima vez que el lector piense en el destino futuro de los bosques del planeta, le pedimos que recuerde la triste historia de las islas.

Ross D. E. MacPhee
Curador y Jefe
Departamento de Mamalogía
Museo Americano de Historia Natural
Nueva York, EE.UU.

forests, remember the sad history of the world's islands.

Ross D. E. MacPhee
Curator and Chairman
Department of Mammalogy
American Museum of Natural History
New York USA

Aguají y almiquí en la arribada
The Cuban Surprise

Si dispusiera de una máquina de tiempo, capaz de viajes reversibles, mis primeras dos expediciones serían al período de hace medio milenio y al de hace 6.000 años. No me molestaría en trasladar el artefacto; mi curiosidad mayor es contemplar la naturaleza de Cuba, vivirla en esos dos instantes: justo a la llegada de los primeros europeos, y después—plato fuerte—a la de los humanos inaugurales.

Eso me atraería más que cualquier otro acontecimiento, anterior o posterior, cubano o extranjero. Incluso más que el plácido planeta de hace 530 millones de años, cuando la naturaleza ensayaba los más inverosímiles modelos de anatomía acuática, hoy casi en su totalidad extintos, o que la superproducción del Jurásico, con su carnaval de lagartos monumentales.

La elección, suponiendo que fuera capaz de colocar la máquina justo en el lugar de cada desembarque (el primero vive en eterna disputa, el segundo se desconoce por completo), no es por disfrutar las caras de alivio de los recién llegados. La razón del

▲ Chipojo ceniciento oriental.
Eastern giant anole.
Yumurí, Guantánamo.

◀ Los Mogotes.
Sierra de Galeras,
Pinar del Río.

If I had a time machine, one capable of two-way trips, my first expeditions would be to the period half a millennium back and then to a time 6000 years ago. I wouldn't bother to transfer the contraption to some other locality. My biggest curiosity is for contemplating Cuba's nature, living it, at those two moments: the exact arrival of the first Europeans, and earlier—main course—at the landing of the inaugural humans.

These episodes have much greater allure to me than any other earlier or later event, Cuban or foreign. Their appeal is more so than to the placid planet 530 million years back, when Mother Nature was testing the most preposterous designs for aquatic life, most of which are today extinct; or the Jurassic megaproduction, with its surrealish carnival of monumental lizards.

The selections, supposing I were capable of placing the machine at the exact spot of each disembarkment (the first is in eternal dispute; the second, totally unknown), is not to enjoy the

primero sería el espectáculo de aquellos aborígenes—los Taínos—imbricados en la naturaleza, parte de ella; conocedores del frutillo dulce y la semilla con veneno; prácticos regionales de cada lomerío, arroyo y cañada; capaces de pronosticar el rumbo de una iguana y la arribazón a la orilla de multitudes de tortugas gigantes; hábiles en olfatear tormentas desmedidas y en atrapar su universo con nombres sonoros.

Muchas voces aborígenes han sobrevivido. Buena parte de la toponimia (desde *Guanahacabibes* hasta *Maisí*), de los nombres de plantas y maderas (*sabicú, majagua, yarey, hicaco, guayacán*) y de los muchísimos animales (*jaiba, aguají, manjuarí, iguana, majá, caguayo, manatí, guareao, catey, jutía*...) tienen su origen en las lenguas nativas casi por completo desaparecidas. Algunas voces, como *huracán, canoa, barbacoa, hamaca* y *caimán*, incluso se han fijado para siempre en el transnacional castellano de hoy y hasta se han dispersado, con pocas alteraciones, a otros idiomas. Los propios nombres *Caribe* y *Cuba* son de origen taíno.

Aquellos aborígenes, al parecer, habían encontrado una relación amistosa y estable con el entorno isleño que duraba ya varios siglos. Los primeros viajeros e historiadores coinciden en la simpleza y tranquilidad de su vida. La imagen descrita se acercaba a la del paraíso cristiano más tarde recreado por Jan Brueghel, con la grata ausencia de los incompatibles leones, y el beneficio adicional de gentes cuya inocencia casi infantil les permitía el hoy increíble lujo de mantener toda propiedad en común.

La naturaleza encontrada por los europeos en Cuba, y en el resto de Las Antillas, de seguro produjo en ellos un

newcomers' facial expressions. In the first case, it is for the sight of those aboriginal peoples—the *Taínos*—immersed in nature, part of her; percipient of even the smallest edible fruit, and of seeds loaded with poison; intimately acquainted with each ridge, creek and ravine; capable of predicting the path of an about-to-flee iguana and the arrival at the beach of a multitude of egg-laden gigantic sea turtles; talented in the art of sniffing oversized storms and at describing their universe with rich, resounding words. Many Taino voices have survived. A good part of the island's toponymy (from *Guanahacabibes* to *Maisí*), of the vernacular names of plants and woods (*guayacán, majagua, yarey, hicaco, jaimiquí*), and of many different animals (*jaiba, aguají, cojinúa, iguana, majá, caguayo, manatí, guareao, catey, jutía*) have sprung from this almost totally excised culture. Other voices, like *huracán, canoa, barbacoa, hamaca, caimán,* have anchored themselves forever in today's transnational Spanish, or have even dispersed, with little change, to

Ruiseñor. *Cuban solitaire.* Riito, Guantánamo.

impacto positivo. Los atractivos principales no eran—como lo pudiera sugerir la perspectiva del campista de hoy—el ave más pequeña del planeta entero; los bandos innumerables de pajarracos color anaranjado-poniente; los ágiles lagartos trepadores capaces, como los magos, de mostrar repentinamente pliegues de piel multicolores; ni el esotérico coro generado, desde las oscuras humedades de la noche, por un surtido amplio de ranas en miniatura.

Más de un recién llegado, por supuesto, debió deleitarse con las fenomenales ciudades de coral vivo, el canto supraelectrónico de un ruiseñor, o la serena estampa del tocororo. Pero estas bondades no movían barcos; los movían intereses de provecho muy concreto. En la Cuba casi sin plata ni oro esto significaba tierra buena para el cultivo y la cría de ganado, un pueblo esclavizable, y tortugas de 200 kg de peso que resistían a bordo semanas y semanas, hasta el día de su transformación en carne y fricasé.

El clima era de sol vertical, hirviente, pero atemperado en las horas de bravura por una brisa confiable, húmeda y fresca por el roce con el mar. Para colmo, cauces de agua cristalina surcaban el terreno todo; había un surtido de bahías perfectas—como lagos conectados al océano mediante un canal profundo—de todos los tamaños soñables; y los bosques eran un gigantesco almacén de madera.

Faltaban, eso sí, los animales mayores. La megafauna del islerío era escasa y estrafalaria. A los ojos de los invasores la dieta de los aborígenes debió parecer, cuando menos, sospechosa. Se basaba en la cosecha de insípidos tubérculos, capaces de

other languages, as every reader of this book has just guessed. Both *Cuba* and *Caribe* are originally Taino.

Ranita de Cuba. *Cuban froglet.*
Cabo Cruz, Guantánamo.

These aborigines had apparently found a friendly and stable relationship with the island environment, one which was several centuries old. The first voyagers and chroniclers agree well upon the simplicity and quietness of their lives. The image described was close to that of the Christian paradise painted some time later by Jan Brueghel, with the pleasing absence of the two hardly compatible lions and the beneficial addition of peoples whose almost childlike innocence allowed what today seems an impossible luxury: they held all property in common.

The wilderness found by Europeans in Cuba, as in the rest of the Antilles, surely made an impact on their minds. The major attractions were not—as could be suggested from the perspective of a contemporary wildlife enthusiast—the smallest bird on the planet; flocks of innumerable large and disparate birds the color of

Curujey (Bromeliacea) entre Baracoa y Maisí. *Bromeliads between Baracoa and Maisí, eastern mountains.* Guantánamo.

mantenerse sanos, bajo tierra, meses enteros; si se ingerían crudos podían matar. La porción animal incluía caracoles macizos recogidos por decenas a la orilla del mar; ratas pardas con talla de liebre, que encontraban adormecidas sobre árboles y riscos; lagartos de volumen y escamación exagerados, que, aunque unicéfalos y sin alas, tenían mirada de dragón; y monstruos obesos, calmudos, que capturaban en los estuarios y luego devoraban con fruición. Para rematar, enmallaban en los bajos coralinos una enloquecedora multiplicidad de peces, fenomenales los más, de tintes y anatomías por completo insondables, entre los cuales algunos . . . a veces . . . portaban venenos fatales.

a flaming sunset; nor the esoteric chorus generated from the humid darkness of night by a wide array of miniature frogs.

More than one tenderfoot, of course, must have savored the phenomenal cities of live coral, the supra-electronic voice of the solitaire, and the serene countenance of pagoda-tailed trogons. But these blessings did not move ships; they were moved by more concrete interests. In silver- and

En el segundo de sus viajes a América, en 1493, Colón regresó con 17 embarcaciones, y descargó en las Antillas la hoy llamada "tropa destructora": cerdos, caballos, perros, ovejas, ganado vacuno y chivos. A estos cuadrúpedos, surgidos de la dura competencia biológica en el Viejo Mundo, la vegetación antillana debió parecer como aliñada. Los cerdos aprovecharon mejor la extensa ensalada: los escapados al monte, *cimarrones*, se proliferaron a ritmo tan desmedido que al cabo de algunos decenios su número era incalculable; nunca sabremos cuántas especies de plantas borraron de la isla. Tanta bestia correteando la manigua satisfizo las demandas del momento: garantizó la buena alimentación en los asentamientos, y permitió el nacimiento del gremio bucanero,

Araña. *Spider.* Fa. Lycosidae.
Sierra de Galeras, Pinar del Río.

almost gold-less Cuba, this meant good land for agriculture and cattle raising, enslavable peoples, and 400-pound turtles that could be stacked alive on board for weeks, until the day of their transformation into fresh meat and fricassee.

The climate had a vertical, broiling sun, but tempered at the fiercest hours by a trusty breeze, humid and refreshing from contact with the sea. To crown the bliss, the whole landscape was cut with crystal-watered creeks and rivers, and there was a supply of perfect bays—just like lakes, connected to the ocean by a deep channel—of all dreamable sizes. The forests were a giant warehouse of wood.

True, there was a lack of larger animals. The island's megafauna was reduced and full of oddities. To the eyes of the invaders, the aborigines' diet must have seemed at least suspicious. It was based on cultivated milky and insipid tubers that held perfectly well for months buried just under the soil; but that could kill if ingested raw. The animal part included heavyweight conchs gathered by the dozens in the flats; brown rats the size of a bunny, found drowsing on treetops and limestone cliffs; coarse-scaled and over-sized lizards that, though single-headed and unwinged, had all the seeming of a mythical dragon; and obese, placid monsters captured in the estuaries and later devoured with fruition. Topping the list was a maddening multiplicity of fishes. Most were truly phenomenal, with entirely unfathomable pigments and anatomies. Some, upon occasion, were fatally poisonous.

On the second of his voyages to

limitado en su inicio a ahumar las carnes. Sirvió, además, de base para la conquista de: los caballos, frescos, procedían de Cuba.

Los españoles introdujeron, además, una gran variedad de hortalizas y plantas de forraje. Gran parte de las primeras

Jicotea. *Cuban turtle.* Santo Tomás, Ciénaga de Zapata, Matanzas.

fueron traídas con toda intención, pero la mayoría de las últimas vinieron como polizontes, y la fácil dispersión de sus semillas las convirtió en silvestres, con lo que se extendieron hacia aquellos sitios más desfigurados por el apacentamiento de la tropa destructora. Con el propósito de servir en Cuba la mesa a la costumbre ibérica, se introdujeron también—con éxito a medias, o sin él—el trigo, la vid y el olivo.

La caña de azúcar, *Saccharum officinarum*, comenzó a endulzar a Europa a mediados del siglo XV, procedente de los sembrados y trapiches de Islas Madeiras, y luego de Canarias. Llegó al Caribe en la

America, in 1493, Christopher Columbus led a fleet of 17 ships, and dropped on the Antilles the so-called "destructive troop": pigs, sheep, goats, horses, dogs, cattle. To these quadrupeds, a product of the harsh, Old World biological lifemanship, the Caribbean vegetation must have seemed marvelously dressed. The pigs made the best use of the boundless salad. Fugitives were never again sighted, and reproduced at such incredible pace that a few decades later they were myriad. We will never know what number of unique plant species were wiped out of the landscape. So many beasts dashing through the brush satisfied the moment's demands. They guaranteed nutritional meals for every settler, and allowed the birth of a new profession, that of buccaneers, limited at its beginnings to smoking meats. They also proved logistically important in the conquest of Mexico. The fresh horses came from Cuba.

The Spaniards also introduced a great variety of vegetables and forage grasses. Many of the first were brought intentionally, but some of the latter arrived as stowaways. Their highly efficient mechanisms for fur-assisted seed dispersal allowed their return to the wild, dominating those areas more disfigured by the "destructive troop." With the purpose of serving the table following the Spanish tradition, wheat, grapes and olive were also introduced into Cuba, with only partial success or none at all.

Since the mid-15th century, sugar cane (*Saccharum officinarum)* had begun to sweeten Europe, first from plantations and mills of the Madeira Islands, and later

misma flotilla de 1493, pero no se convirtió en un renglón importante de exportación hasta después de la declinación de las exportaciones de Madeira, Sao Tomé, y el trópico de América continental. A partir del siglo XVII el dulce cristal transformó a Las Antillas en las Islas del Azúcar, que no

▲ Cangrejo de tierra. *Land crab.* Sierra de Galeras, Pinar del Río.

◀ Iguana. Cayo Piedras, cerca de Cayo Largo del Sur.

◀ Sitio de desembarco de Colón. *Where Columbus landed.* Bahía de Bariay, Holguín.

Dulces. Durante el curioso estrellato tuvo lugar la importación de mano de obra esclava, y luego barata, desde los más remotos confines del planeta; la arribada definitiva

from those of the Canaries. It arrived to the Antilles in the same fleet of 1493, but did not develop into an industry until the exports of Madeira, Sao Tomé and the American continental tropics started to decline. At the beginning of the 17th century the sweet crystal transformed the Caribbean Islands into the Sugar Islands, though the islands did not turn sweet themselves. While the boom intensified, entire jungles were leveled; a slave or, later, cheap work force was massively imported from Africa and Asia; a huge wave of European settlers arrived to stay; and

de cientos de miles de colonos europeos; embargos, rebeliones y guerras; y el allanamiento de selvas enteras. Cuba entró tarde en esta emulación de rapiña ambiental, pero ya a finales del siglo XVIII los bosques caían bajo el filo de hachas y machetes al ritmo de 70-100 km^2 por año. A mediados del XIX el asolamiento alcanzó 536 km^2 por año.

La segunda visita a tiempos pretéritos, la de los seis milenios atrás, me permitiría conocer la Cuba prístina, la en verdad virgen, y me atrae aún más que el viaje anterior. El gancho, intuyo, es la seducción por lo desconocido, que he podido paladear en tres o cuatro centenares de ocasiones, mojadas y de un azul oscuro, veteado y juguetón. El privilegio ha ocurrido al sumergirme en el mar con balones de aire comprimido—diez, treinta años atrás—en sitios muy apartados de los asentamientos humanos, y muy profundos. En aquellas disfrutadísimas ocasiones, sin embargo, la primicia visual (de la que siempre tiene hambre la vanidad) era por la nueva combi-

there were embargoes, rebellions and wars. Cuba entered this contest for environmental destruction rather late, but by the end of the 18th century forests were dropping under sharp axes and machetes at the rate of 27 to 38 square miles per year. By the mid-19th century, desolation had reached 206 square miles in a single year.

My second visit to the past, the one 6000 years back, would satisfy my curiosity for the biologically authentic Cuba, the really pristine island, and has an even greater appeal than the previous time trip. The lure, I guess, is the seduction of the totally unknown, something I have been able to savor in perhaps 300 or 400 occasions, all of them humid, and of a dark, playfully-streaked blue. The privilege has come from SCUBA diving, 10 to 30 years back, in sites very distant from any human settlements, and really deep. In those rapturous occasions, though, visual primacy (for which vanity is always hungry) was for new combinations of known

Chinche gigante. *Giant waterbug.* Ciénaga de Zapata, Matanzas.
Cacto. *Cactus.* Guantánamo.

nación de seres ya conocidos, y por un panorama que, para las entendederas de un positivista del Renacimiento, era hasta entonces inexistente.

En el recorrido de ahora estaría a la par, en ignorancia, con los primeros migrantes, recién llegados, se cree hoy, de la América Central. Desconocedor de los hábitos y costumbres de los muchos animales mayores, cada paso vendría preñado de sorpresas: ruidos de pisadas sobre la hojarasca, huellas raras en el lodo fino y plumas sueltas nunca antes vistas.

Al instante quedaría cautivado por el paisaje entero, embelesado por mil fragancias y olores enigmáticos, absorto de chirridos y cantos. Trataría de sentar en la memoria—para no profanar el templo con anotaciones para la posteridad—el trompeteo nasal de penachudos pájaros carpinteros, el sueño letárgico de boas venerables, el paso alto de bandadas de guacamayos con atuendos y voces de festejo mayor, y cada gesto de aquellas criaturas que después, lo sé bien, desaparecerán.

Andaría una geografía casi irreconocible, relieve y contornos ocultos tras la alta y espesa cortina de clorofila, y sin la asistencia taína para llegar hasta *Guane, Guamá, Guajimico, Guáimaro,* y *Guantánamo.* Con la ayuda de un buen mapa topográfico y de un compás (sin los satélites, un GPS sería lo antónimo de lo obsoleto), caminaría en la penumbra, y sólo algún que otro día tendría la suerte de trepar algún peñasco desnudo, para echar una mirada larga, reconocer algún río o serranía lejana, o un tramo de costa, y descubrir la ubicación precisa. De seguro saborearía intensamente el vasto verdegal.

sea life, and for a seascape that, in the mind of an Enlightenment positivist, was until then nonexistent.

In these ramblings, my ignorance would match that of the first human migrants just arrived, probably from Central America. Being unacquainted with the traits and habits of the many larger animals, each step would uncover a novelty: the rustling sound of steps on fallen leaves, some strange impressions on wet mud, unknown scattered feathers . . .

I would instantly become charmed by the wholeness of surrounding life; mesmerized by a thousand fragrances and enigmatic odors; entranced by chirpings and songs. I would try to fix in my memory—so as not to desecrate the temple with annotations for posterity—the nasal trumpeting of tall-crested woodpeckers, lethargic and venerable boas, the overhead flight of macaws rejoicingly showing off their major-celebration apparel; and each gesture of those creatures that, I know well, will later disappear.

I would ramble an almost unrecognizable geography, relief and contours hidden behind a thick and elevated curtain of chlorophyll, and without Taino assistance to reach unnamed *Guane, Guamá, Guajimico, Guáimaro,* and *Guantánamo.* I would walk through uninterrupted shadows, only infrequently having the luck of hiking a barren ridge, to then look afar and recognize some nearby river or mountain range, or a portion of the coast, and thus fix my whereabouts. I would surely savor the vast and intense verdancy.

In spite of things past, today's Cuba still treasures much of its original, wild

A la Cuba de hoy le queda, con todo, naturaleza original, salvaje. Sin duda más que a cualquier otra isla caribeña. Los mogotes y las montañas de faldas abruptas, las ciénagas y algunos estuarios apartados, la salpicadura de islillas bajas y fangosas, y la desértica región del sureste oriental han resultado una barrera dura de franquear. Las serranías más accesibles sí fueron invadidas, desde hace mucho tiempo. Su uso principal, sin embargo, ha sido el cultivo del café y del cacao, los cuales, por requerir sombra, les ha permitido sobrevivir vestidas de árboles altos. Estos frenan el impacto de las lluvias, dan cobijo a mucha vida menor, y refrescan la pupila.

nature. More, without a doubt, than any other Caribbean island. The *mogotes* and steep-sided mountains, swamps and distant or inaccessible estuaries, the scattering of low and muddy keys, and the desert of the southeastern region have so far proven hard to surmount barriers to settlement. More accessible highlands were indeed invaded, a long time ago. Their main use, however, has been coffee and cacao cultivation, which requires deep shadows: this has allowed them to survive dressed up like a densely packed arboretum. The tall vegetation attenuates the impact of rainwater, provides havens to many minor life-forms, and pleases the eye.

Paisaje al oeste de la Farola.
View west from Baracoa along the La Farola mountain road.
Guantánamo.

Caimán y catey en la cultura
Crocs and Cuckoos in the Culture

En cualquier país continental—excepto la anómala Australia, que es continente aislado, y de un solo gobierno—es bien raro que exista un animal o una planta exclusivos; lo normal es que habiten también otros territorios aledaños. Francia, por ejemplo, comparte un gran número de especies de plantas y animales con España, Italia y Alemania; los de Tanzania son comunes a Kenia, Uganda y Mozambique. En consecuencia, las personalidades biológicas de estos países están algo o muy diluidas.

En la inmensa mayoría de las tierras continentales, por otra parte, viven al menos algunos animales grandes: venados, águilas, osos, cóndores, rinocerontes, monos, tapires. Es obvio que estas criaturas—de cuerpo cubierto de pelos o plumas, y sangre caliente al igual que nosotros—roben la atención de las personas: poseen tallas similares o mayores a la nuestra, y sus habilidades, accesibles a nuestros sentidos, son admiradas, temidas o envidiadas.

En casi todos los animales grandes

▲ Flor de *Marcgravia* sp. *Marcgravia flower.*
El Toldo, Holguín.

◀ Chipojo occidental. *Western knight anole.*
Santo Tomás, Ciénaga

Continental countries—except anomalous Australia, which is an isolated continent and of a single government—only rarely have plants or animals that are unique. They normally also occur in bordering territories. France, for example, shares a great number of its plants and critters with Spain, Italy and Germany; those of Tanzania are common to the ones living in Kenya, Uganda and Mozambique. As a consequence, the biological personalities of those countries are somewhat or much diluted.

In most continental lands there are at least a few large animals: deer, bears, rhinoceros, eagles, condors, monkeys or tapirs. It is obvious that these creatures—which have their bodies covered with hair or feathers, and are warm-blooded like us—would receive a great amount of human attention. Their size is comparable or larger than ours, and their abilities, which are readily observable with our senses, are admired, feared or envied.

Most of these animals are also appre-

Costa Caribe entre Cajobabo y Guantánamo.
Caribbean coast between Cajobabo and Guantánamo. **Guantánamo.**

apreciamos alguna utilidad concreta: los convertimos en carne y curtimos sus pieles; les damos a las plumas, los dientes y las cornamentas un uso decorativo o ritual; y consideramos que partes de sus cuerpos tienen virtudes medicinales, o afrodisíacas. No sorprende, pues, que alrededor de ellos los diferentes pueblos hayan tejido, desde tiempos inmemoriales, muchísimos mitos y leyendas. Son los animales por excelencia.

En la fauna terrestre de Cuba, como en la del resto de las hermanas Antillas, no hay animales autóctonos asables, ordeñables, trasquilables, ni que sirvan para arar o montar. Tampoco los hay con virtudes de especial impacto sensorial, ni de

ciated for some practical purpose. We consume their edible parts and turn their skin into leather; we give a decorative or ritual use to their feathers, teeth or antlers; and we consider that parts of their bodies have medicinal of aphrodisiacal properties. It is not surprising, then, that since time immemorial different peoples around the world have woven scores of myths and legends around these larger animals. They are all charisma.

In Cuba's terrestrial fauna, however, as in the neighboring Antillean islands, there are today no native animals worthy of roasting, milking, or shearing, nor capable of pulling a plow or carrying people on their backs. None possess virtues of

beneficio económico trascendente. Ningún ave es por entero roja, amarilla o azul; ningún mamífero tiene constitución humanoide, fuerza de león o agilidad de gato. De entre los mamíferos terrestres autóctonos los de mayor talla son unas pocas especies de jutías, todas pardas, nocturnas y con el aspecto de una rata sobremedida y sobrealimentada. Entre las aves que habitan montañas y sabanas las mayores son los gavilanes y los arrieros, en su mayoría pardos y pequeños.

A partir de 1492, la cultura indígena del país—la basada en una relación con la naturaleza autóctona de Cuba—comenzó a sufrir un profundo proceso de aniquilamiento. Ya algunas decenas de años después quedaba de ella apenas los nombres de algunos sitios, animales y plantas, y la forma de preparar, a partir de esa raíz superlativa que es la yuca, tortas a prueba de hongos: el *casabe*. Según el censo de 1514, cuando el total de manos hábiles en las Antillas Mayores era de 22.726, casi la mitad de los colonos tenían esposas taínas. Con el paso de los decenios, sin embargo, el peso de los genes y de la cultura aborígenes disminuyó de manera abrupta. En 1524 ya había más esclavos importados que indígenas, y a mediados de siglo ya eran casi inexistentes. Con ello la presencia de lo taíno en la vida diaria—y el aprecio por la flora y fauna indígenas—se volatilizó.

Una evidencia contundente de la disociación de la cultura de hoy con la natureza autoctona del país, se puede apreciar en los remedios populares. El formidable volúmen *El folclor médico de Cuba*, contiene más de 3.000 fórmulas de medicina tradicional

special sensory impact, or of transcendent economic benefit. Not a single bird is entirely red, yellow or blue; not one mammal has humanoid anatomy, the strength of a lion, or the swiftness of a cat. The largest among the indigenous terrestrial mammals are a few species of hutias, all of them brownish, nocturnal, and with the looks of an oversized and overfed rat. Among the birds that inhabit our mountains and *sabanas*, the largest are some hawks and cuckoos, most of which are brown and rather smallish.

Since the year 1492 the island's indigenous Taino culture—the one that was based on a relationship with Cuba's native wildlife—suffered a profound process of annihilation. A few decades after Columbus, the only reminders of that culture were the names of some sites, animals and plants, and the method of preparing *casabe*, a dry, fungus-proof cake derived from the most superlative of roots, the manioc (*Manihot utilissima*). According to a census made in 1514, when the number of Spaniards working in the Greater Antilles was 22,726, almost half of them had Indian wives. Beyond this point, though, the significance of aboriginal genes and culture diminished abruptly. In 1524 there were already more imported slaves than indigenous ones, and by the end of that century the latter had practically vanished. The Taino presence in everyday life—and, consequently, a reverence for Cuba's indigenous flora and fauna—had all but disappeared.

A tangible evidence of the dissociation of today's culture from the autochthonous nature of the country is

tomadas de entrevistas hechas entre 1961 y 1962, a 309 viejos residentes de la antigua provincia de Camagüey, la mayoría entre 60 y 90 años de edad. El grueso de las pócimas y cocimientos se preparan con sustancias que provienen sobre todo de animales introducidos. Según estas fuentes, del buey y de la vaca se puede obtener la cura de hasta 91 enfermedades. El valor medicinal de los otros exóticos desciende en forma gradual: gallina (75 enfermedades), abeja (58), cerdo (44), carnero (27). Según el folclor camagüeyano, el perro, además de cuidar la casa y servir de grata compañia, aporta sustancias para curar 16 males diferentes.

La excepción entre los animales indígenas como fuente de medicamentos populares es el majá de Santamaría, supuestamente útil contra 41 enfermedades diferentes: una obvia suplantación de las boas y pitones de allende el Atlántico. El valor del resto de los criollos decae después de manera vertiginosa: el aura tiñosa es apenas buena para 9 enfermedades, la cherna criolla para 6, la rana platanera, la lagartija común y la jicotea para 5, y el cangrejo moro para 4.

El resto de los otros pocos animales locales que engrosan la lista medicinal apenas sirve para 1-3 enfermedades, y con frecuencia los entrevistados confiesan el origen español o africano de sus mejunjes.

~ ~ ~

A diferencia de los continentes, las islas mayores tienen, por lo común, personalidades biológicas bien definidas. Hawaii es patria de las aves mieleras,

revealed in popular remedies. The formidable volume *El folclor médico de Cuba* (*The Medical Folklore of Cuba*) contains more than 3000 formulas for traditional medicine, taken from interviews between 1961 and 1962 with 309 old-time residents of the former province of Camagüey. A good many of them were between 60 and 90 years of age. Most of the potions and decoctions are prepared with substances obtained from introduced animals. According to these sources, bull and cow products are good for curing up to 91 diseases. The medicinal value of other exotics diminishes gradually: wildfowl gives cure for 75 ailments, bees for 58, pigs for 44 and sheep for 27. If we follow *camagüeyan* folklore, the dog, aside from watching the house and providing good company, gives substances to cure 16 different maladies.

The exception among indigenous animals as sources is the Cuban boa, supposedly useful against 41 different disorders: an obvious substitution of the huge boas and pythons from across the Atlantic. The value of the remaining native animals slides down abruptly: the turkey vulture is helpful for barely 9 diseases, the Nassau grouper for 6, the Cuban tree frog, Cuban brown anole and Cuban turtle for 5, the rock crab for 4 of them.

The rest of the few local animals that add to the medicinal list are only good for 1 to 3 remedies each, and those interviewed frequently confess the Spanish and African origin of their mixtures.

~ ~ ~

Unlike continents, each large island

Madagascar sirve de refugio a más de una decena de especies de lémures, Nueva Zelanda es casa de los kiwis y la tuatara, y Galápagos posee en exclusiva las inmensas tortugas terrestres, una docena de especies de pajarillos únicos, y una iguana que se busca su sustento en el fondo de un mar frío. Aquí sólo hemos mencionado, en cada caso, los animales más sobresalientes; en realidad cada una de estas tierras posee una fauna y flora en gran medida singulares. Para designar a estas criaturas de distribución exclusiva se utiliza el término "endémico".

Nunca sabremos cuánto aprecio y respeto sentían los taínos por los animales que los circundaban. Sí podemos estar seguros de que en estos últimos siglos tan europeizados, la fauna de Cuba ha sido menospreciada e ignorada. Al estilo de los países continentales no hay un animal nacional, y aunque tampoco hay planta nacional, lo único que se distingue bien en el escudo patrio es una palma real: el equivalente zoológico está ausente.

Una especie aún no descrita de saltamontes.
An undescribed species of grasshopper.
Genus: *Dellia.*
Guantánamo.

has, as a rule, a well defined biological personality. Hawaii is homeland of the honeycreepers, Madagascar has about a dozen species of lemurs, New Zealand is home of kiwis and the tuatara, and the Galapagos Islands hold immense land tortoises, a dozen species of extraordinary finches and an iguana that dives into the rather cold coastal waters in search of algae. We have here mentioned only the most outstanding animals; each of these islands possesses fauna and flora that are truly unique. To designate these life-forms of restricted distribution biologists use the term "endemic." And Cuba is loaded with them.

We will never know how much appreciation and respect the Tainos had for their surrounding animals. We can be sure, however, that in these last highly Europeanized centuries, Cuba's fauna has been underrated and ignored. In the tradition of continental countries, there is no "national animal." Although there is a national flower, the only organism clearly

Entre los mamíferos criollos, los candidatos a ese honor no tienen el carisma requerido por las culturas continentales, que exigen buen tamaño, fuerza, "elegancia" o habilidades extraordinarias y, a semejanza nuestra, sangre caliente. La cubierta de pelos se ve como punto favorable.

En Cuba no viven venados indígenas, ni tampoco félidos, cánidos, osos o hipopótamos. Tampoco hay criaturas saltarinas como los canguros, osillos calmudos como los koalas, águilas soberanas, pavos reales o avestruces. El nicho de animal nacional, pues, quizás esté vacante por cuestión de vergüenza. Se requiere coraje—y una visión más larga que la importada y predominante-, para designar animal nacional a un ser de menos de un kilogramo de peso y anatomía muy disímil a la nuestra, cuyos requerimientos y costumbres nos son por completo ajenos. Características como sangre fría, cuerpo cubierto por una coraza, o desnudo y viscoso, ausencia o exceso de patas, ojos rudimentarios, o talla muy chica, serían considerados sin duda alguna puntos desfavorables.

Lo anterior, sin embargo, debe importar poco. O nada en absoluto. El valor relativo que damos a los animales puede tener fundamentos muy diferentes—ecologista, utilitario, estético, científico . . . —y ser motivo de discusión larga, pero nada tiene que ver con nuestra oscilante vara moral. Cuando van referidos a animales, los calificativos *rapaz, venenoso, sucio, terco, caníbal, impasible,* e incluso *parásito* pierden toda su carga peyorativa. Maldad y bondad son creaciones humanas;

depicted on the national seal is a royal palm: the zoological counterpart is absent.

Among local animals, the candidates to this honor do not have the charisma required in continental cultures that demand large size, strength, "elegance," or some extraordinary ability. Having the body covered with hair is most welcomed.

In Cuba there are no indigenous deer, nor cats, dogs, bears or hippopotamuses. There are neither gracefully jumping critters like kangaroos, placid teddy bears like the koala, majestic eagles, peacocks or ostriches. The post of national animal, therefore, might be vacant due to bashfulness. A lot of courage is needed—and a longer-ranged vision than the one imported and dominant—to designate as "national" an animal that has less than one kilogram of weight, an anatomy much different from our own and whose habits and environmental requirements are completely alien. Having characteristics like cold-bloodedness, a body covered with a hard shield or naked and slimy, a lack of or excess of walking appendices, rudimentary eyes, or very small size, would surely score unfavorably.

All the above, however, should matter little. Or absolutely nothing. The relative value we give to animals from the standpoint of their ecological, economical, aesthetic or scientific worth can be a matter of endless discussion, but it has nothing to do with our oscillating moral rules. When referred to animals, qualifying terms like *rapacious, venomous, dirty, stubborn, cannibalistic, impassive,* or even *parasitic* lose the totality of their

la naturaleza salvaje vive por completo al margen de estas apreciaciones.

~ ~ ~

En Cuba faltarán espectacularidades zoológicas convencionales, pero las no-convencionales abundan. Sin duda, alguno de nuestros animales endémicos debería estar en el escudo nacional. Como casi no existen antecedentes que favorezcan la elección de uno u otro animal, es un problema muy agradable imaginar cuáles de ellos podrían ser candidatos a ese honor.

Representar la naturaleza cubana autóctona sería una distinción especial. La única condición en verdad indispensable es que el animal sea indígena del archipiélago, y preferiblemente endémico (¿para qué escoger uno compartido, si tenemos tantos exclusivos?). La candidatura dependería, además, de la consideración de muchos otros elementos, influidos sin duda por vicios culturales a los cuales nadie es impermeable. En principio, por ejemplo, el animal podría ser microscópico. Después de todo vivimos una época en la cual se fabrica y usa este instrumento. Pero nadie anda el archipiélago con un microscopio bajo el brazo, y es bueno que todos sean capaces de identificar a simple vista la criatura-bandera. Tamaño y abundancia son, pues, elementos de peso.

A continuación va mi lista personal de candidatos, con anotaciones. De paso servirá para presentar, de entre lo auténtico cubano, los animales de mayor atractivo visual. No van en ningún orden particular, para no viciar la valoración comparada. Cualquiera de ellos tiene más que suficiente aval para la distinción.

pejorative load. Kindness and wickedness are human creations; wild nature is beyond these considerations.

The Cuban archipelago may lack conventional zoological wonders, but it has more than enough non-conventional ones. At least one of our endemic animals should appear on the national seal. Since there are no precedents to favor the election of one or another creature, defining which animals should be candidates to such honor is a pleasant exercise.

Representing Cuban nature would be a most special distinction. The only obligatory provision is that the animal-candidate be indigenous of the archipelago, and preferably endemic (why select a shared animal, when so many of them are exclusive?). Candidacy would also be influenced by many other considerations, many of them cultural vices from which no one is absolutely free. To begin with, for example, the animal could be microscopic. We live, after all, in an epoch in which very sophisticated versions of this instrument are widely used. But no one walks the island carrying a microscope, and it is important that everyone be able to identify the flag-animal with the naked eye. Size and abundance are, thus, elements of weight.

Here, then, is a personal list of candidates, with annotations. This will also serve to present those Cuban animals that have the greatest visual appeal. They come in no particular order, so as not to influence the comparative valuation. Any one of them has a thick enough file of virtues to apply for the distinction.

Chipojo ceniciento barbudo. *Western bearded anole.* Rangel, Pinar del Río.

Chipojo ceniciento barbudo

Un conjunto de lagartos, compuesto por 4 especies, que habitan los bosques de toda la isla. De talla similar a la de los chipojos verdes, tienen la cola mucho más corta y algo prensil; en el proceso evolutivo han perdido la habilidad de desprenderse de ella a voluntad. Todos son de un indefinible color gris pardusco u oliváceo, por entero recubiertos de manchas irregulares. El aspecto general es cenizo, y debido a su poca movilidad se confunden con las irregularidades y manchas de líquenes sobre la corteza de los árboles; resulta casi milagroso encontrar uno entre el follaje. Las cuatro especies son muy parecidas entre sí, y un producto reciente de la evolución local. En combinación con su perfecto enmascaramiento, el pasar a alimentarse de caracoles arbóreos les permitió el lujo de la lentitud. La pinta de reptil mesozoico y la impresionante demostración de fuerza—con el enorme "pañuelo" extendido y la boca abierta mostrando la negrísima

Bearded Anoles

Not a chameleon, but similar in looks to these Old World wonder-lizards. Four species have so far been described, probably leading parallel lives, but in different parts of Cuba's geography. They all reach a body length of about 6 to 7 inches; the tail is about just as long (short, in lizard standards), somewhat prehensile, and incapable of breaking off and regrowing. Bearded anoles have an indescribable brownish or olivaceous gray color, splashed with darker and whitish disordered marks. General appearance is as if smirched with ashes, which makes them practically invisible while perched motionless on lichen-covered bark; it is almost a miracle to spot one in the forest. All 4 species have similar anatomy, and are a relatively recent product of local evolution. Coupled with the perfect bark-camouflage, a diet based on land mollusks allows these lizards the luxury of slothfulness. Their quiescence at times scratches the boundary of mineralogical. The Mesozoic-reptile countenance and impressive threat display—gigantic dewlap extended, and open mouth showing a pitch-black bulky tongue—have given rise to the belief that bearded anoles are venomous, which is completely false.

Cuban Boa

By far the largest snake in the Greater Antilles. During the 19th century Johannes-turned-*Juan* Gundlach, a German-born naturalist that lived in

lengua—le ha ganado en algunas regiones fama de venenoso, pero es por completo inofensivo.

Majá de Santamaría

Una boa de respetable tamaño, y la mayor serpiente de las Antillas. Durante el siglo pasado, Juan Gundlach, naturalista alemán residente en Cuba, reportó especímenes de hasta 6,5 metros de longitud. Los mayores ejemplares encontrados hoy día se aproximan cuando más a los 3 metros. Cosa curiosa, al parecer nadie se ha molestado jamás en pesar uno de este tamaño: bien podría alcanzar los 40 kilogramos.

Cuba for more than 50 years, reported specimens of up to 21 feet long; the largest found nowadays reach at most 10 feet. Curiously, no one has ever bothered to weigh a snake of this length: it could very well attain 100 pounds. A beautiful creature, the Cuban boa is entirely brownish, the whole body covered with irregular chevrons, rings and spots; the dorsal surface shows a striking green and blue iridescence. It is found throughout Cuba and also in most of the larger offshore territories. A ground dweller, this boa also climbs trees, and is nocturnal. It feeds on hutias and birds. Some individuals spend their lives in caves, feeding mostly upon bats. In the past centuries

Majá de Santamaría. *Cuban boa.* Cuevas de Sierra de los Órganos, Pinar del Río.

Almiquí. *Cuban insectivore.*

Bellísimo, tiene el cuerpo marcado con rombos, rayas y anillos irregulares de color pardo oscuro; todo el dorso se irisa con reflejos verde azul. Habita toda Cuba, e incluso muchos cayos. Vive en el suelo, de rareza trepa a los árboles y es nocturno. Se alimenta de jutías y aves. Algunos ejemplares hacen su vida en cavernas, alimentándose de murciélagos. En los últimos siglos, por falta de otra opción, los majáes se alimentan sobre todo de ratas; son, por tanto, doblemente beneficiosos. Se alimentan también de aves de corral, y por ello los campesinos los odian y machetean sin falta. Esto ha sido una de las causas de que hoy la especie sea en extremo rara.

Almiquí

De estirpe antiquísima, es un verdadero "fósil viviente" y el más extraño de nuestros pocos mamíferos endémicos. Antepasados suyos, de anatomía y costum-

the Cuban boa has turned into a consummate rat devourer, which makes it an even more beneficial wild animal. They also consume poultry, and for that reason peasants despise this snake and kill every one of them on sight. This has been one of the causes of its present scarcity.

Cuban Insectivore

Of ancient lineage, this is truly a "living fossil," and the oddest among our few endemic mammals. Ancestors of the Cuban insectivore, of quite similar shape and habits, scrambled 190 million years ago through continental forests inhabited by early dinosaurs. Still known in Cuba by its Taino name, the *almiquí* has the looks of a large hairy rat with a thin longish snout. In the mountains of Hispaniola lives its only close brother. The *almiquí* reaches a length of about 18 inches and is strictly nocturnal. Its nutritional errands take place through galleries dug across the 3-foot high cushion of debris accumulated on the forest floor. Though an insectivore by zoological classification, it also feeds on spiders, mollusks, all kinds of small eggs, lizards, frogs, snakes, and some plants. Originally widespread, it was already a rarity at the time of the Europeans' arrival, probably as a result of the enigmatic (and extinct) mute dog introduced by South American Indians. The Cuban insectivore has never been observed in the wild by a professional biologist. Not a single individual is today held in captivity.

bres cercanas, corretearon hace 190 millones de años selvas habitadas por dinosaurios. Tiene el aspecto de una rata grande, con pelos y hocico muy largos. En las montañas de La Española vive su único congénere. El almiquí alcanza 50 cm de longitud. Es nocturno, y circula por los bosques sobre todo por túneles excavados entre la gruesa capa de hojarasca. Insectívoro por clasificación zoológica, come además arañas, moluscos, huevos, lagartos, ranas, culebras, y algunas plantas. Habitó la isla mayor completa, pero ya a la llegada de los españoles era raro; quizás a consecuencia de la introducción del (enigmático y desaparecido) perro mudo por los aborígenes suramericanos. Hoy sobrevive en unas pocas y apartadas montañas del Este. Jamás ha sido visto en su ambiente natural por un profesional de la biología. En la actualidad no hay un sólo ejemplar en cautiverio.

Zunzuncito

Record mundial—absoluto—de "miniaturización" en las aves, con sólo 6 cm de longitud y algo menos de dos gramos de peso. Verde azul por el dorso y blanco por el pecho, la hembra es bastante mayor que el macho. Estos portan, a cambio, casquete y bigotes de un rosado vivísimo e iridiscente, y tienen el dorso de un decidido y oscuro azul. Siglos atrás vivía en toda la isla mayor, e incluso en la Isla de la Juventud. Depende para existir de bosques viejos, con densos entretejidos de lianas y enredaderas, y ramas saturadas con

Bee Hummingbird

World record in avian miniaturization, with but 2½ inches in length and a weight of about 1/14 of an ounce. With greenish blue back and white chest, the female is considerably larger than the male. The male has, in exchange, fiery iridescent pink gorget and head; upperparts are decidedly of a deep blue. Centuries back the species lived throughout the main island and also on the Isle of Youth (formerly Isle of Pines). It requires old forest growth with a dense network of vines and lianas, and branches saturated with orchids and bromeliads. For that reason the bee hummingbird's range is today limited to a few regions, like Guanahacabibes, Zapata Swamp and Cuchillas del Toa. The male is an unexpected vocal virtuoso: during the breeding months he spends most of his time perched on the tallest available bare twigs, and from those heights persistently produces his lengthy, thin and readily audible melody. Making some minor concessions, it can be said he has the colors of the Cuban flag.

Blue Anole

An eye-catching lizard, present in every garden and park from Matanzas to Bayamo, it is delightful to watch even considering the "angry-face" looks given by the grooves in front of each eye. The male reaches the size of a little finger and wears vivid green pants and a frisky shirt with colors grading from day-glo

Zunzuncito (macho). *Male bee hummingbird.* Los Sábalos, cerca de la Ciénaga de Zapata, Matanzas.

orquídeas y curujeyes (plantas bromeliáceas). Por eso hoy su distribución se limita a unas pocas áreas de Guanahacabibes, Ciénaga de Zapata y Cuchillas del Toa. El macho es un concertista inesperado: durante la época de celo se posa en las ramas secas más altas y desde allí entona con insistencia su larga y bien audible melodía. Si se hacen algunas concesiones menores puede decirse que tiene los colores de la bandera nacional.

turquoise to dark, ocean-deep blue. The female is somewhat smaller and entirely dressed in green. Until recently, this was thought to be an exotic species, introduced into Cuba by accident at the very beginning of overseas post-Columbian commerce, from the Central American islands of Bahía (Honduras), Halfmoon and Turneffe (Belize). But there are today reasons to suspect that these belong to a different species.

Zunzuncito (hembra). *Female bee hummingbird.* Santo Tomás, Ciénaga de Zapata, Matanzas.

Camaleón azul

Aún con la "cara de bravo" que le proporciona el surco delante de cada ojo, es un lagarto precioso y llamativo, presente en cada parque y jardín desde Matanzas hasta Bayamo. El macho alcanza el tamaño de un dedo meñique y por lo general viste

Cuban Brown Anole

Common indeed, throughout the whole archipelago, from isolated beaches and mangroves to gardens and parks. Since historical times this lizard has invaded most territories near Cuba: the Bahaman Islands, Jamaica, and Cayman, Swan,

pantalón verde y camisa escandalosa: tiene una gradación perfecta del *acqua* muy claro al oscurísimo azul. Las hembras son algo menores y limitan su ropaje al verde o pardo. Hasta hace poco se creía que esta especie había sido introducida a Cuba por accidente, al inicio del comercio naval post-colombino, desde las islas centroamericanas Bahía (Honduras), Halfmoon y Turneffe (Belice). Existe la sospecha, sin embargo, de que sean especies diferentes.

Lagartija común. ***Cuban brown anole.*** **Guantánamo.**

Lagartija común

Habita todo el archipiélago, y se la encuentra por igual en manglares y playas; en cada parque y jardín. Desde tiempos históricos ha invadido la mayor parte de las tierras cercanas a Cuba: las islas Bahamas, Jamaica, Caimán, Swan, Halfmoon y Cozumel. También los cayos al sur de la Florida, y el sur de la propia península. Es el homólogo—reptil y antillano—de ese paradigma de oportunismo ecológico: el gorrión inglés. La lagartija macho es algo mayor que la hembra y alcanza poco más de 6 cm, sin contar la cola. Su color es siempre pardo, aunque puede aclarar hasta crema claro, y oscurecer hasta alcanzar el color café, con algunas manchas amarillentas en el dorso. El "pañuelo" de los machos es anaranjado, con el borde externo amarillo, y se pasan la mitad calurosa del año exhibiéndolo a casi toda hora. Con todo, su aspecto no es arrebatador; pero bastan unos pocos arbustos para dar cobijo a una pareja, y ahí pasan sus vidas, a pleno sol, haciendo exhibiciones de fuerza y tamaño delante de las narices de

Halfmoon and Cozumel islands. It is even abundant all over the lower half of Florida, including the southernmost string of keys. The Cuban brown anole is the reptilian and Antillean counterpart of that paradigm of ecological opportunism: the house sparrow. The male is almost twice as heavy as the female, reaching 2½ inches, without counting the highly variable tail length. The color is a modest brown, and can change, at the animal's urges, to pale creamy or dark coffee, in this last choice with plenty of golden-yellow markings. Like many other anole lizards, the male has a throat fan (also called dewlap), a colorful fold of skin usually concealed under the head. His is deep orange, with a yellowish edge, and these lizards seem to spend most of their active summer hours showing off this macho banner. Even at its best, the lizard is no feast for the eyes; but on the other hand only a couple of bushes are needed to provide a hangout for a pair of them, and they spend their lives in full view under the sun, displaying at each other their

cualquiera, enamorándose, y devorando moscas una tras otra.

Cocodrilo

Es exclusivo de dos pequeñas ciénagas, Zapata y Lanier (Isla de la Juventud), y por tanto el cocodrilo de distribución más restringida del planeta. Nada besable, su coloración es algo menos aburrida que la del caimán, pero no alcanza a ganar corazones. Es el mayor animal indígena que pisa el suelo cubano. Siglos atrás se conocieron ejemplares de hasta 5 m de longitud; en la actualidad los mayores cocodrilos tienen unos 3,5 m de largo. Se alimenta de peces, jicoteas y aves acuáticas.

strength and size, quietly making love at hand's-reach distance, and devouring flies one after another.

Cuban Crocodile

With a range restricted to two small swamps, Zapata and Lanier (on the Isle of Youth), this is the most endangered crocodile in the whole world. Not a kissable beast, it has a less boring coloration than the American crocodile, but still not enough to catch hearts. In early post-Columbian times, this species reached up to 16 feet in length; the largest specimens found today are about 11.5 feet long. The diet of this ponderous beast is based on

Cocodrilo. *Cuban crocodile.* Guamá, Ciénaga de Zapata, Matanzas.

Como especie-insignia tiene el inconveniente de cualquier otro cocodrilo: se parecen mucho entre sí. Demasiado. Por otra parte la formidable talla y dentadura le confieren, al igual que los tiburones grandes, un enigmático atractivo. Hace algunas décadas hubo un extraño intento de conectar la fauna con la silueta de la isla: alguien fue capaz de "ver", en esta última, la figura de un cocodrilo (¿los cayos serían las moscas?). La conexión aparecía ilustrada en cada texto escolar, y se enseñaba con orgullo. Cuba tiene, pues, el privilegio de contar con un sinónimo animal. Desde un principio, sin embargo, se optó por "El Caimán" (una especie compartida con tierras vecinas), en vez de "El Cocodrilo", sin duda por la sonoridad.

Polimitas

Son los caracoles de colorido más vistoso del mundo. Con todo, no tienen nombre vulgar auténtico: se las conoce hoy por la fonética del nombre en latín dado al género: *Polymita*. Hay 6 especies reconocidas, todas arbóreas y circunscritas a las provincias orientales. La que habita Cuchillas del Toa y Baracoa y la Sierra del Purial, *Polymita picta*, es la de mayor diversidad de colorido. Pero incluso la de pigmentos más moderados es pieza de exquisita decoración. El acopio indiscriminado las ha hecho en extremo raras en las cercanías de poblados y ciudades, y también en los cafetales. Pero aún pueden encontrarse en sitios apartados, sobre todo los montañosos. Sólo se alimentan de noche, o cuando llueve, de la capa de algas y hongos

Polimitas pictas cubanas.
Cuban painted tree snails.
Guantánamo.

fish, turtles and birds. As candidate to the archipelago's symbol-animal it has the inconvenience of any other crocodile: they all look alike. Exceedingly so. On the other hand, the formidable size of body and teeth make the animal as enigmatically attractive as large sharks. Some decades back there was a strange attempt to connect the island's silhouette with its fauna. Someone was able to "see" a crocodile in the island's outline (were keys supposed to be flies?). The connection appeared illustrated in every school textbook and was taught with pride. Cuba has, thus, the privilege of a zoological

negruzcos que crecen sobre la superficie de las hojas. Con ello no sólo decoran el escenario, sino también brindan a las hojas el acceso a la luz solar y permiten la fotosíntesis, con lo cual benefician a las plantas.

Catey

Una encantadora cotorrilla capaz de volar a velocidades de cohete. Es verde brillante, con un pequeño parche rojo en la parte inferior del ala y algunas plumas sueltas de este mismo color. Habitaba antes toda Cuba y también la Isla de la Juventud (Isla de Pinos), pero hoy sólo sobrevive en la Ciénaga de Zapata y algunas serranías orientales. Alcanza 25 cm, aunque casi la mitad de su talla corresponde a la afilada cola. Bullanguero y muy social. En la Ciénaga de Zapata aún pueden encontrarse bandadas de varias decenas; en las sierras del Este es ya muy escaso, y los pocos gru-

synonym. Since the very beginning, though, it has opted for the term *caimán* (the American crocodile) instead of *cocodrilo* (the Cuban crocodile), perhaps for the stronger sonority.

Cuban Painted Tree Snail

Undoubtedly the most handsomely colored land snails on the planet. Still, they lack a truly vernacular name among Cubans, and are known from the phonetics of their scientific name: *Polymita*. There are a total of 6 species, all of them arboreal, and restricted to the eastern mountains. The species that inhabits Cuchillas del Toa, Cuchillas de Baracoa and Sierra del Purial, *Polymita picta*, is the one most variously colored. The others, though, are not far behind. Indiscriminate collecting has dwindled the natural populations of all these tree

Catey. ***Cuban parakeet.***
Ciénaga de Zapata, Matanzas.

pos tienen por lo general menos de una decena de individuos. Se alimenta de frutos pequeños, y duerme y anida en los agujeros de los árboles, sobre todo de palmas.

Majacito pigmeo de Feick

Por muchas razones amerita el calificativo de primoroso. Alcanza apenas unos 40 cm de largo, y es poco más grueso que un lápiz. Difícil de encontrar, y desconocido incluso por muchos campesinos: de ahí que no tenga un auténtico nombre vulgar. Es del todo inofensivo y puede ser manipulado sin inconveniente, jamás hace por morder. Tiene la singular habilidad de cambiar de color: cuando duerme por el día el color de fondo es pardo, pero de noche aclara hasta el blanco nacarado. Desde el cuello hasta la cola tiene grandes parches negros, que a la luz muestran reflejos azules iridiscentes. Vive en el suelo y trepa a los arbustos para apresar lagartos y ranas pequeños. Es

snails, especially near cities and villages, and in coffee plantations. They can still be found, though, in isolated forests, particularly on the higher mountains. They feed only at night, or when raining, on the thin layer of blackish fungus and algae that grows on the surface of older leaves. The *polimitas* thus not only decorate the scenery; by giving the leaves access to sunlight, they allow for photosynthesis, providing a useful service to the plants.

Cuban Parakeet

A charming little parrot capable of rocket-fast flight. Brilliant green, with a small patch of red under the wing and some scattered feathers of that very color, it formerly inhabited the main island from one end to the other, and also the Isle of Youth. Today it survives precariously in Zapata Swamp and some isolated eastern mountain ranges. At Zapata flocks of several dozen can still be found. In other localities the bird is extremely rare, and the few groups seen are usually made of a handful of individuals. The Cuban parakeet feeds on small fruits and both sleeps and nests in tree holes abandoned by woodpeckers, most of them in palms.

Feick's Pygmy Boa

A glamor snake, scarcely over a foot long and not much thicker than a pencil, it is well deserving of tall adjectives, like gorgeous, handsome and ravishing. Hard to spot, it is unknown by many peasants;

exclusivo de la región occidental, pero en el resto de la isla mayor viven otras especies, muy parecidas y casi tan atractivas, llamados majacitos bobos.

Jutía Conga

Las jutías, todas, son un invento antillano: evolucionaron a partir de un antepasado suramericano que invadió estas islas unos 20 millones de años atrás. Hasta hace unos pocos miles de años, más de 40 especies poblaban las Antillas, incluso las Menores. La mayoría está hoy extinta debido a la caza intensa, a la deforestación y a la depredación por los animales introducidos. Cuba es la isla donde sobrevive la mayor variedad (10 especies) de estos roedores.

hence the lack of a vernacular name. Totally innocent, this miniature can be carelessly manipulated; it will never even try to bite. This boa has the rare ability—among snakes—of changing the background color; during daytime sleep it turns a darkish brown, while for nighttime hunting the background bleaches out to a pearly white. At any time of the day, the body is covered with big black spots that seen under good light show plenty of blue iridescence. Feick's pygmy boa lives on the ground, and at night climbs the bushes in search of small lizards and frogs. It is restricted to the mountain ranges west of Havana, but throughout the rest of the island there are several other sister species equally glamorous . . . and as hard to find.

Majacito pigmeo de Feick. *Feick's pygmy boa.* Soroa, Pinar del Río.

Otras pocas especies viven en Bahamas (1), Jamaica (1) y Española (1). La Conga, cubana, es la mayor de las jutías vivientes; alcanza unos 4-5 kilogramos y es de color pardo. Nocturna y herbívora, se alimenta de hojas y frutos. Es raro verla, pues pasa el día inactiva, durmiendo, en lo alto de las ramas de árboles, o en cuevas y oquedades.

Chipojo

Es la voz taína para nombrar 6 especies de lagartos, distribuidos por toda la isla mayor, la Isla de la Juventud, y varios de los cayos mayores, tanto del Norte como del Sur. Endémicos todos, tienen el honor de ser los gigantes absolutos de entre las 250 especies que componen el género *Anolis*.

Hutia

Hutias are an Antillean invention: they evolved from a South American ancestor that invaded these islands perhaps some 20 million years ago. Until a few thousand years back more than 40 species of hutias populated the West Indies. The majority are today extinct, mostly due to intense hunting since aboriginal times, deforestation and predation from introduced carnivores. Cuba is the island that holds the largest diversity of these rodents, with 10 different species. Three other species live in the Bahamas, Jamaica and Hispaniola. The *jutía Conga* of Cuba is the largest living species, reaching a weight of about 10 pounds. Mostly brown, nocturnal and herbivorous, it

Chipojo, cabezadas de Río Jaguaní.
Juvenile knight anole, upper reaches of Jaguaní River. Holguín.

Jutía Conga. *Hutia.* La Salina, Península de Zapata, Matanzas.

Son arbóreos, ágiles y estilizados, y de unos 50 cm de longitud, comprendida la larga cola. Domina en ellos el color verde brillante, pero vienen marcados y rayados en negro, blanco, amarillo, anaranjado y azul. Tienen la habilidad de cambiar su color al pardo oscuro. De cuatro de las especies se han descrito, en total, más de una veintena de razas, que se distinguen unas de otras por detalles del colorido del cuerpo y del gran "pañuelo", un pliegue de piel que esconden en la garganta. Depredadores de éxito, consumen tanto insectos grandes como vertebrados pequeños. Por completo inofensivos, aunque capaces de morder duro si se los manipula.

feeds on leaves and fruits. A rare sight, this hutia spends the day placidly snoozing high upon the tallest branches of the forest, in tree trunk holes, or inside caves.

Knight Anole

Cuba harbors a total of 6 closely related species of these giants. They have about the body size of the giant chameleons and, like these, are patchily distributed throughout the main island, and also on the Isle of Youth and some larger keys of both the North and South coasts. Their tail is twice as long as their body. Knight anoles are known in Cuba by their Taino vernacular name, *chipojos,* and they are mostly a vivid green, the different species variously marked with black, white, yellow, orange and blue. They all have the ability of changing to dark brown. The four most widely distributed species account for a total of over 20 races, each with singularities in scale size and color markings, including that of the oversized dewlap. The *chipojos* are generalized predators, that consume all kinds of large insects and small vertebrates. They are completely harmless, though capable of inflicting a strong bite if mishandled.

Majá y mayito en la manigua
Boas and Boobies in the Bush

Con unos 114.500 km² de territorio, el archipiélago cubano justo roza, hacia el Norte, el límite formal de la tropicalidad. La cifra exacta poco importa; su superficie varía de siglo en siglo, y también de década en década. Otro tanto ocurre con los cayos; la cifra total ofrecida por los distintos geógrafos varía de 1.600 hasta la exageración de 4.000. Nadie, sin embargo, ha definido cuándo un manglar es lo suficientemente grande para graduarse de cayo, o qué ancho debe tener un canalizo para contar dos porciones de tierra—o dos cayuelos de mangle—por separado. Para añadir a la confusión, las mareas inundan y exponen diariamente centenares de parches de suelo bajo, y también hacen crecer y achicar cada cayo. Cualquiera que sea la talla seleccionada para validar un manglar como tierra aritmetizable, las mareas harán que aquellos situados justo por debajo del límite escogido clasifiquen como cayos en horas de la mañana, la tarde, o la madrugada.

Las montañas de Cuba se estremecen aún a ritmos dictados por las presiones

▲ Araña (*Gasteracantha cacriformis*). *Spider.* Maisí, Guantánamo.

◀ Lagarto de agua. *Cuban stream anole.* Sierra de Galeras, Pinar del Río.

With some 44,200 square miles of territory, the Cuban archipelago just touches, to the north, the formal limit of tropicality. The precise land surface matters little; the area changes from century to century, and also from decade to decade. A similar vagueness takes place with the number of keys. The total amount given by different geographers varies from 1600 to the outrageous exaggeration of 4000. No one, apparently, has ever defined at what point a mangrove stand is sufficiently large to qualify as a key, or what width a water channel must have to consider two pieces of land—or two large stands of mangrove—as separate keys. Adding to the confusion, each day the tides flood and expose hundreds of patches of low terrain, and also make each key grow and shrink. Whatever size is selected to validate a mangrove stand as an accountable piece of land, those immediately below the mark will still classify as keys, if only in the morning, afternoon, or midnight hours.

profundas del planeta. La costa y los cayos, vivos por el denso festón de manglares, roban espacio al océano; la pulgada de avance diario hacia el mar se traduce con los años en kilómetros cuadrados de tierra nueva. Capricho y fuerza natural exagerados, los huracanes deshacen en unas horas las seculares fabricaciones de la vida. Al día siguiente el sol, el agua y la clorofila regresan, desde un nuevo punto de partida, a su alquimia tenaz.

Los cambios anteriores están sobreimpuestos a grandes oscilaciones del clima planetario. Los extremos fríos de estos grandes ciclos climáticos, llamados glaciaciones, se repiten aproximadamente cada 100.000 años, y entonces la temperatura global media desciende 5 a 6°C respecto a la actual.

Durante una glaciación, el agua se acumula, como inmensa capa de hielo, sobre la vasta superficie de los continentes. El último de estos picos glaciales ocurrió hace unos 17.000 años, y robó al mar alrededor de un centenar de metros de espesor. La superficie territorial de Cuba era entonces 25 por ciento mayor que la actual; los cayos de hoy eran todos litoral alto, y estaban conectados a tierra firme. Las Bahamas eran un par de islas agigantadas, y, aunque llanas, de tanta extensión como la propia Cuba. Las separaba de Cuba un larguísimo canal marino de apenas algunos pocos kilómetros de ancho, cruzado de seguro con frecuencia por toda suerte de animales.

Durante los períodos de calor entre una y otra glaciaciones la temperatura global ha llegado a elevarse algunos grados por encima de la actual, con lo cual las regiones polares han regalado a los océanos

Cuban mountains still tremble now and then, complying to rhythms of the planet's deep pressures. The coast and keys, alive with a thick mangrove belt, constantly steal space from the ocean: the daily inch of advance translates with the passing centuries into square miles of newborn soil. Hurricanes, natural force and capriciousness on the loose, then tear down, in just a few hours, the secular fabrications of life. After the storm, sun, water and chlorophyll return anew, from another starting point, to their indefatigable alchemy.

These changes are all imposed onto other larger-scaled oscillations of planetary climate. The colder extremes of these great climatic cycles, called glaciations, are repeated every 100,000 years or so, and then the average global temperature drops about 10°F below the current one.

During a glaciation, water accumulates as an immense and thick layer of ice over the vast surface of the continents. The last of these glacial peaks occurred some 17,000 years ago, and made the sea level drop some 300 feet. The surface of the Cuban archipelago was then about 25 percent larger than today; the keys were then high coast and they were all connected to the main island. The Bahamas were at that time two overgrown islands that, though without mountains, had an area comparable to that of Cuba. They were separated from Cuba by a very long channel just a few kilometers wide, which was surely traversed by many kinds of animals.

During the warm intervals between one and another glaciation the average

Costa caribe de sudeste. ***Caribbean coast in the southeast.***

grandes cantidades de agua. Durante estos picos de calor interglacial, el nivel oceánico ha subido hasta 40 a 50 metros por encima del actual; el último de ellos, moderado, ocurrió hace unos 125.000 años, y levantó la superficie de los océanos 20 metros por sobre el nivel que conocemos hoy. En la zona de Maisí cada una de las múltiples terrazas marca un nivel donde las olas gastaron la roca del sustrato, tallando farallones y solapas.

Si los descensos del mar han unificado y hecho crecer el archipiélago cubano—

global temperature reached a few degrees above the current one. As a result, the polar regions have restituted enough water to the oceans to raise their level up to 150 feet above the one we are familiar with today. The last of these inordinate heat waves took place 125,000 years ago and, though moderate, elevated the seas some 60 to 70 feet. In the region of Maisí each of the multiple terraces marks a level where the waves wore down the rocky substrate, carving the high, steep, rocky faces.

tanto como una veintena de ocasiones durante los últimos 1,8 millones de años— los ascensos lo han dividido y reducido otras tantas veces, de manera sustancial. Las aguas han entonces inundado los cayos, casi la totalidad de la Isla de la Juventud y franjas costeras de hasta 20 a 40 kilómetros de ancho. De hecho, Cuba ha sido convertida, cada una de esas ocasiones, en tres islas de la talla de Jamaica, rodeadas por muchísimos islotes tamaño bolsillo, las cimas del lomerío actual. En cada ciclo climático "el caimán" expandió y redujo hasta en tres veces su superficie total, lanzando y recogiendo pseudópodos en casi todas direcciones. Vista en una pantalla de

If sea level drops have at times unified the Cuban archipelago, and made it grow—upon about twenty occasions during the past 1.8 million years—sea level increases have divided it and made it shrink, substantially, an equal amount of times. Waters have then inundated the keys, most of the Isle of Youth and, on the main island, coastal strips up to 20 to 25 miles wide. Cuba has then been factually turned, in each of these warm periods, into three separate islands the size of Jamaica, all surrounded by many pocket-sized islets, the heights of today's low elevation hills. In each climatic cycle Cuba thus expanded and shrunk; maximum

Cabo Corrientes, Península de Guanahacabibes, Pinar del Río.

vídeo, la reproducción agilizada de estos sucesos milenarios tendría, por cierto, una enorme semejanza con la imagen de una ameba viviente.

La historia geológica más antigua, la que abarca decenas de millones de años, muestra transgresiones y regresiones del mar, aún más titánicas. Las fuerzas mecánicas entonces en juego desafían los sentidos y la imaginación, y han dado lugar al ascenso del suelo oceánico hasta el relieve emergido hoy tan familiar. La secuencia, energía y temporalidad de estas aventuras de la geografía es cosa muy discutida. El único concenso es que la historia antigua del Caribe está cargada de megatraumas. Situada en medio de varias piezas del dinámico rompecabezas mundial, la Proto-Cuba sufrió, además, la fricción de islas cercanas en movimiento; la intrusión de profundos magmas ardientes; monumentales deposiciones de fangos ajenos; imbricaciones, torceduras y quebran-

Mariposa (*Hamadryas februa*). Gray cracker. Sierra Mariana, Guantánamo.

and minimum area was multiplied and divided by up to three. Seen on a video screen, a speeded-up representation of these millenary processes would have all the seeming of a live amoeba repeatedly moving its tentacles out and pulling them back.

More ancient geological history, the one that embraces tens of millions of years, shows even more titanic transgressions and regressions of the waters. Mechanical forces then in play defy both the senses and the imagination and gave place to the rising of the ocean bottom to the current land and seascapes. The sequence, strength and timing of these adventures of geography is today a matter of much dispute. The single consensus is that the Caribbean's ancient history is loaded with megatraumas. Proto-Cuba, stationed between several large pieces of the world tectonic puzzle, experienced the friction of nearby drifting islands; the intrusion of deep red-hot magmas; monumental depositions of alien muds; and foldings, imbrications and faultings of its sedimentary layers. It is even probable that the adolescent island endured—64 million years ago—the inconceivable consequences of the close impact of a cosmic bolide a few miles in diameter, which generated waves perhaps thousands of feet high.

The many blows and traumas explain why, as you travel Cuba, you discover an endless succession of differently colored soils: brown, creamy, yellowish, cinnamon, reddish, gray, and even blackish. They result from the sets of minerals that dominate the bedrock in different regions

tamientos de sus estratos sedimentarios... Incluso es probable que haya experimentado—hace 64 millones de años—las pasmosas consecuencias del impacto cercano de un bólido cósmico de varios kilómetros de diámetro, el cual generó olas de quizás 1 a 2 kilómetros de altura.

Tanto golpe y contusión explican por qué al recorrer Cuba uno descubre una sucesión interminable de suelos de diversos colores: pardo, cremoso, amarillento, canela, rojizo, gris e incluso negro. Resultan de los diferentes minerales que predominan en el subsuelo de las distintas regiones, y de la mágica descomposición bacterial. Encima del palpitante y literal aislamiento geográfico está, así, esta otra retícula, de tierras, por completo caótica. A esta zonación se le debe sumar la variable altitudinal, y la exposición o no a los húmedos y persistentes vientos alisios. La complejidad del emparchado ecológico resultante—"islas" sobreimpuestas a "islas" sobreimpuestas a "islas" . . . —es maravillosamente inasible, y explica por qué el cuatro veces archipiélago está tan preñado de formas de vida.

~ ~ ~

Sobre el suelo cubano se han encontrado hasta la fecha unas 12.400 especies animales, pero la cifra está lejos de reflejar el número real. Los zoólogos han distribuido sus esfuerzos de manera poco equitativa. Hay grupos, como las aves, los peces marinos y las mariposas diurnas, que han recibido atención profesional—nunca mucha ni la suficiente—, incluso desde siglo y medio atrás. Los grupos más nutri-

of the island, and from the magic of bacterial decomposition. So in addition to geographical isolation, Cuba has this other entirely chaotic reticule of dissimilar soils. Further upon this parceling is another zonation, due to variable altitudes, and still one more, due to exposure or lack of exposure to the humid and persistent trade winds. The complexity of the resulting ecological mosaic—"islands" imposed on "islands" imposed on "islands" . . . —is marvelously unbreachable, and explains why the four times archipelago is so pregnant with life-forms.

~ ~ ~

To this date about 12,400 animal species have been found on Cuban soil, though this count is far from reflecting the actual diversity. So far, zoologists have distributed their efforts quite selectively. Some animal groups, like birds, saltwater fishes and butterflies, began receiving attention—never much, nor the necessary—150 years ago. The most numerous groups, like beetles and moths, include still hundreds of undescribed species. The total quantity of Cuban animals could very well double or triple the currently known amount (without taking into consideration the estimated diversity in those two big surprise boxes, fungi and bacteria, which would possibly increase many times the sum total of species).

No one knows exactly how many of the animals that have been collected in Cuba are exclusive of the archipelago; the estimated figure is 42 percent. Lack of precision does not derive from counting

dos, como los coleópteros y las mariposas nocturnas, incluyen centenares de especies aún por descubrir; la cantidad total de animales cubanos bien podría duplicar, y hasta triplicar, la cifra que conocemos hoy (sin contar las dos grandes cajas de sorpresas, los hongos y las bacterias, cuya diversidad podría elevar muchas veces el número total de especies).

Nadie sabe exactamente cuántos de los animales descritos son exclusivos del país; se estima sea alrededor de 42 por ciento. El problema, por supuesto, no viene del conteo de nuestros primos de formato, los vertebrados. El número de los terrestres anda por los 591, y conocemos bien, con pocas dudas, cuáles son endémicos, cuáles compartidos con otras tierras, y cuáles exóticos.

Al referirnos a los insectos-y-comparsa, donde sin duda está la mayoría de las especies descritas, el cuadro se nubla. Se conocen miles de especies de insectos y centenares de arácnidos, cerca de la mitad endémicos. Algunas publicaciones no ofrecen indicación alguna de la distribución extraterritorial. A esto hay que añadir que buena parte de los grupos de insectos que no ocasionan perjuicios ni beneficios directos a la agricultura han sido poco atendidos. Por último, es necesario reconsiderar algunos grupos a la luz de técnicas modernas.

Todas estas insuficiencias, vale subrayar, se refieren sólo a la clasificación. Nada sabemos, en la inmensa mayoría de los casos, acerca de cuándo se reproduce cada uno de estos animales, de qué se alimenta, cuáles parásitos le atacan, cuánto es capaz de andar en una semana, qué temperatura

our format cousins, the vertebrates; the terrestrial species reach today 591, and it is pretty well known, with but a few doubts, which are endemic, what other ones are indigenous but shared with other territories, and which are from a foreign stock.

Araña. *Spider.* Order: Opilionida.
Sierra de Galeras, Pinar del Río.

When numbers refer to insects and other small-sized denizens of the forest, which comprise the majority of known species, the picture gets fuzzy. There are thousands of insect species and hundreds of spiders and allies, almost half of which are endemic. Some publications do not offer even a hint at extraterritorial distribution; and most groups of insects not directly harmful or beneficial to agricultural practice have generally been ignored. Last, it is necessary to apply modern techniques in reconsidering the status of many groups.

The above shortcomings, I must emphasize, refer only to the arithmetic of classification. For the majority of species nothing is known about when reproduction takes place, what diet they live upon,

Mogotes del Valle de Viñales. *The mogotes of Viñales valley.* Pinar del Río.

le resulta óptima, y cuáles otras especies dependen de ella para vivir.

Guasasas y bibijaguas

Es común que las islas oceánicas tengan una fauna de moluscos terrestres algo exagerada. El secreto está en que estos animales tienen la capacidad de resistir muchas semanas sin alimento, sellando con una mucosa hermética el espacio entre la concha y la corteza u hoja de un árbol donde se encuentre. En este estado pueden navegar grandes distancias.

En las propias Islas Galápagos viven nada menos que seis decenas de especies de moluscos arbóreos, todas de anatomía

which are its parasites, how much an individual can travel in one week, what is the optimum temperature range, and which other species depend on it for survival.

Butterflies and Ants

Oceanic islands frequently have a somewhat exaggerated assemblage of land mollusks. The secret lies in the capacity of these animals for resisting many weeks without food. By secreting a polyethylene-like mucous, they just seal themselves off from the outer world. Glued in such way to branches or leaves they can navigate long distances.

In the Galapagos Islands, for example,

Caracol terrestre *liguus*. *Cuban tree snail.* Cabo Corrientes, Península de Guanahacabibes, Pinar del Río.

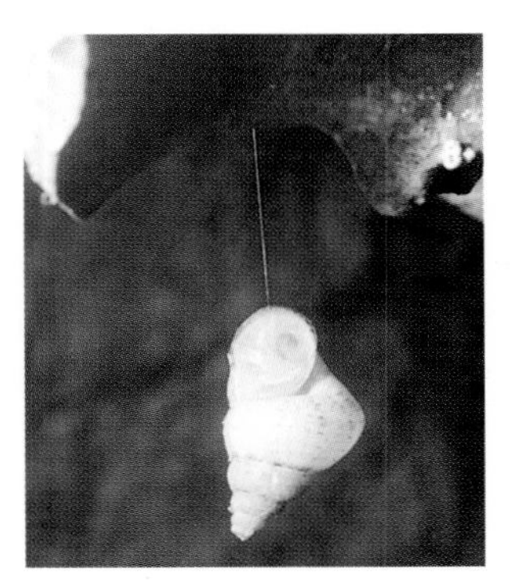

Caracol terrestre. *Land snail.* Sierra de Galeras, Pinar del Río.

Caracol terrestre *viana*. *Viana rock snail.* Sierra de Galeras, Pinar del Río.

cercana, pertenecientes a una misma familia. Dos veces mayor es el número de especies del género *Partula*, exclusivo del archipiélago Tuamotu. En el archipiélago de Hawaii los árboles están poblados por una hermandad de caracoles arbóreos que suma varios centenares de especies. La diversidad de moluscos terrestres de Cuba

there are no less than 60 species of arboreal mollusks, all of close anatomy and belonging to a single family. Twice larger is the membership of the genus *Partula*, exclusive of the Tuamotu archipelago. Further north, the trees of Hawaii and its neighboring islands host a brotherhood of snails comprising several hundred species. On this other side of the globe, the diversity of Cuban land mollusks goes beyond fantasy, and is so large indeed, that the island has been called a malacologist's paradise.

The total number of mollusk species registered in Cuba reaches 1400, of which some 1350 are exclusive to the archipelago. Most are very small and have the typical gray to brownish shell. Their architectures, on the other hand, come in many different styles.

At Sierra de los Órganos, a set of odd, dome-shaped and scattered mountains called *mogotes*, each elevation holds several unique species of land snails. They all evolved from a few ancestors living in that region about one million years ago, when the area was flat country. As the ground began to rise by patches, the lower terrain behaved not unlike a water barrier,

supera la fantasía, y es tan grande que la isla ha sido calificada, con buena razón, como un paraíso de malacólogos.

El número total de moluscos registrados en Cuba alcanza 1.400, de los cuales unos 1.350 son exclusivos del archipiélago. La inmensa mayoría son muy pequeños y sus conchas tienen el color típico, entre gris y pardo. Con todo, hay entre las especies menores una enorme diversidad en la arquitectura de la concha.

En la Sierra de los Órganos, un grupo de montañas dispersas de cimas redondeadas, llamadas *mogotes,* cada elevación sirve de albergue a caracolillos únicos en el planeta. Han evolucionado en esos mismos sitios, a partir de ancestros que vivían por aquella región, hace cosa de un millón de años, cuando era un llano boscoso. Al comenzar el suelo a elevarse a parches, la tierra baja entre una y otra elevación comenzó a comportarse como un mar separador y las poblaciones de estos moluscos quedaron aisladas. Como la superficie de cada mogote es pequeña—la de algunos es comparable a la de un campo de béisbol—, las poblaciones de moluscos eran en extremo reducidas, lo cual permitió un rápido proceso de cambio evolutivo.

Sobre las muy abundantes superficies rocosas de los mogotes de la Sierra de los Órganos es muy abundante un caracolillo de apenas 2 centímetros de longitud, llamado en latín *Chondropomete.* En los adultos, nadie imagina por qué, la abertura de la concha prolonga hacia afuera una lámina blanca análoga a la escarola, aquel castigo impuesto al cuello por la moda de los siglos XVI y XVII. Quizás más enigmático es el color de los largos tentáculos que dan

thus isolating the different populations of snails. Since the area of each *mogote* is small—some are no larger than a baseball field—the populations were reduced, which allowed for fast evolutionary change.

On the ragged limestone outcrops that make up a good deal of the surface of each *mogote* lives a tiny—less-than-an-inch

Polimita. *Cuban painted tree snail.* Maisí, Guantánamo.

Costa de Maisí. *Maisí coast.* Guantánamo.

Caracol terrestre. *Land snail.* ▶
Sachrysia sp. Sierra de Galeras,
Pinar del Río.

soporte a los ojos: son anaranjados, y de fluorescencia tan viva como la de la mejor pluma para marcar textos. Lo más sorprendente, sin embargo, radica en su nada convencional estrategia defensiva. Primero fija a una superficie saliente de la roca montañosa una pequeña cantidad de sustancia viscosa, que queda allí adherida. Después segrega otra cantidad del mismo líquido, con lo cual el animal desciende algunos centímetros a la manera de las arañas. Y allí se queda, colgado en el aire, fuera del alcance de los depredadores. Nadie sabe bien cuál depredador compulsó a estos moluscos a desarrollar una protección tan eficaz.

Los monarcas del jardín malacológico, sin embargo, son moluscos pertenecientes a los géneros *Liguus* y *Polymita*. En cada caso el número de especies—4 y 6, respectivamente—es limitado; no así sus coloraciones.

Liguus habita muchas regiones de la isla mayor, y también algunos cayos. No siempre es fácil descubrir uno. En algunas zonas acostumbran a dormir pegados al tronco de los árboles, o a sus ramificaciones inmediatas; en otras se adhieren a las hojas, lo mismo por su parte superior que inferior. Sin embargo, en las cercanías de Cabo Corrientes tienen la costumbre de unir 2 a 3 hojas a su alrededor, y entonces son casi imposibles de distinguir. El caracol tiene unos 7 a 8 centímetros de longitud y la forma es siempre puntiaguda, como un barquillo de helado. Lo que varía, y mucho, es el colorido; puede ser blanco, amarillo, blanco con rayas verdes o negras, blanco con manchas y rayas anaranjadas y pardas, color crema, y hasta negro. Los hubo,

snail whose generic name is *Chondropomete*. At reaching adulthood, no one imagines why, the opening of the shell grows outward, thus producing a laminar structure reminiscent of a starched ruff, that punishment imposed on the neck by 16th- and 17th-century fashion. Perhaps still more enigmatic is the color of the longish eye-supporting tentacles: day-glo orange, as fluorescent as any highlight marker. The big surprise, though, lies in its unconventional defense strategy. First it glues a small quantity of exudate to a rocky outcrop. The subsequent step is to secrete more of the same liquid, until it just hangs in mid-air by a thin and transparent 5- to 15-inch line, completely out of the reach of land-based carnivores. No one knows what kind of predator pressed this mollusk into developing such efficient protection.

The monarchs of the Cuban malacological garden, though, are snails belonging to the genera *Liguus* and *Polymita*. In each one the number of species—4 and 6, respectively—is limited. Not so their coloration.

Liguus can be found in many regions of the main island, and also in some keys. It is not always simple to spot one. In some areas they sleep glued to tree trunks, or to thick branches; in other places they tend to adhere to the upper or lower surface of leaves. But in the environs of Cabo Corrientes they have the healthy habit of gluing several leaves towards them, thus hiding from view. The shell of *Liguus* is always conical and up to 3 inches long; what varies is the artwork. They come white or yellow, and some wear green,

tiempo atrás, anaranjados, y también dos veces más grandes. Viven al menos 3 años, y se alimentan de los hongos que crecen sobre las hojas. Sólo bajan al suelo para poner los huevos.

Las polimitas son una fiesta. En ellas la naturaleza se excedió: ninguna otra especie de molusco—ni de ningún otro grupo animal—puede competir con ellas en materia de diversidad de color. En una misma región, ¡e incluso en un mismo árbol!, pueden encontrarse ejemplares blancos, negros, amarillos, anaranjados o pardos. Y entre ellas las puede haber de color entero, o con las más diversas rayas—gruesas o delgadas, únicas o múltiples—negras, blancas o rojizas. Tal explosión de tintes y diseños, en animales exentos de toxinas, parece contradecir el sentido común. Lo cierto es que la tremenda diversidad de colorido hace inefectiva cualquier imagen de búsqueda: es muy difícil encontrar una de estas criaturas entre el follaje salpicado de hojas amarillentas, frutillos rojos, semillas negruzcas, y de tanto entrelazado de sol y sombra. A los depredadores les ocurre lo mismo.

El menos en la región de Maisí las polimitas descargan su simiente, unos 30 huevos por individuo (son hermafroditas), entre noviembre y abril. Al nacer tienen unos 3 milímetros de diámetro y son de color crema muy claro, por completo translúcidas. Su único pigmento: los dos punticos negros correspondientes a los ojos. Desde el primer día se alimentan del mismo hongo que deleita a los adultos. Crecen rápido, a los tres meses alcanzan 13 milímetros y empiezan a mostrar bandas color café oscuro, y visos de amarillo o

orange or black stripes, or several sorts of dark markings. Some time ago there used to be an orange race, and another one reaching about 5 inches. Their life span is at least 3 years, and during all this time they come down to the ground only to lay their eggs. The nourishment of *Liguus* comes from the same blackish fungus that feeds the Cuban painted tree snails.

The *Polymitas* are a feast. With them nature exceeded herself: no other species of land snail—or, for that matter, no other animal—can match their diversity of coloration. All white, all black, all yellow, all brown and all orange individuals can be found in the same area, and even on a single tree. Furthermore, the majority wear differently colored stripes; narrow or wide ones, single or multiple. Such explosion of pigment and design, in animals without toxicity, seems to contradict common sense. But the truth is that their tremendous color diversity eliminates the possibility to "fix" on a definite search image. They are in fact very difficult to single out from amongst a foliage full of yellowing leaves, small red fruits, blackish seeds, the whole panorama checkered with sunlight. Predators have an identical problem.

At least around Maisí, the Cuban painted tree snails unload their seeds—about 30 eggs per individual (they are hermaphrodites)—between November and April. Newborns have a shell diameter slightly over 1/16-inch, and are of a milky color, entirely translucent. Their only pigments are the two minuscule spots that make up the eyes. Since day one they scrape the black fungus from leaf surfaces. Growth is rather fast, and after

anaranjado.

Gracias a su belleza y diversidad, desde el siglo pasado los moluscos cubanos fueron objeto de interés e investigación sistemática. Su inventario, sin publicar, fue en extremo minucioso, y quizás hasta excesivo: cuando se reexaminen a la luz de las recientes técnicas moleculares, no pocas "especies" serán re-etiqueteadas, con toda probabilidad, como simples razas. La suerte de otros invertebrados ha sido menor.

Los milpiés, por ejemplo, han sido poco estudiados. Cuba tiene tres especies "gigantes", del grueso de un dedo y dos veces más largas, y varias decenas de especies de pocos centímetros de longitud; 6 de cada 10 son endémicas. Algunas de ellas se conocen por ejemplares aislados, colectados durante el siglo pasado. Son comunes en cualquier bosque, sobre todo en aquellos donde las rocas calizas afloran en el suelo, y en cada región aparecen especies diferentes.

Los milpiés "gigantes" son llamados acá mancaperros. Se mueven por entre la hojarasca a velocidad baja, pero tan constante que parecen fluir. Atraviesan los arroyos como si el agua no existiera, sin titubear, y sin cambiar en absoluto el paso de sus dos centenares de patas. Son, en efecto, capaces de inmovilizar un perro. Al ser pisados lanzan un chorro fino de sustancias irritantes. Cuando abundan, los canes terminan con la piel de entre los dedos inflamada, incapaces de andar.

Los insectos son legión, y no es raro descubrir especies nuevas. Se conocen unas 7.000 especies, y el promedio de endémicos alcanza un 50 por ciento. Entre los de

three months the shell reaches a half-inch diameter and is well on its way to showing off whatever colors and stripes the adult will have.

Thanks to their diversity and beauty, Cuban mollusks have attracted the attention of local naturalists for a century and a half. The inventory, which remains unpublished, was perhaps too meticulous: in the future, when "species" are studied

Mancaperros. *Giant Cuban millipedes.* Santo Tomás, Ciénaga de Zapata, Matanzas.

with the assistance of molecular techniques, many will prove to be but geographical races. Other invertebrates have had less luck.

Millipedes, for example, have barely been studied. Cuba holds three "gigantic" species, about as thick as a finger and twice longer, plus several dozen other species under the 2-inch range; 6 out of every 10 species are endemic. Many are known from but one to a few scattered specimens collected a century back. They are common in some forests, especially those with abundant limestone

vuelo pobre y los sedentarios, como es de esperar, hay una alta proporción de especies exclusivas. Hay descritas, por ejemplo, 146 especies de hormigas, 84 de insectos semilleros, 22 de cercópidos, y 10 de chicharras. De ellas, son exclusivas del archipiélago tantas como 72, 22, 18 y 7, respectivamente.

Cuba es la única isla antillana con especies de hormigas del género *Atta* (2 de ellas), las bibijaguas. Estos gigantes de los trópicos de América viven en sociedades tumultuosas, de hasta varios millones de individuos. Las ciudades están bajo tierra, y a la superficie asoman sólo varios montículos de tierra suelta con todo el aspecto de maqueta (1 en 10.000) de un territorio volcánico; por los cráteres salen y entran monstruos macrocéfalos, cuya talla supera tres veces, en proporción, la de los mayores dinosaurios.

Las bibijaguas se alimentan de un tipo

outcroppings. Each region has its own set of species.

Giant millipedes are called *mancaperros*, which translates as "dog maimer." They walk through the forest litter at a slow pace, but advance speed is so even as to appear liquid. These millipedes are capable of walking across a small creek without the slightest hesitation; totally oblivious to the water. They are, in fact, capable of maiming a dog. Each time one of these animals steps on a *mancaperro*, it squirts a small amount of a very irritating substance. When these millipedes abound, the dogs end up with the skin of their toes quite swollen, and actually unable to move.

Insects are legion, and finding an undescribed species is routine. Some 7000 species are known, about half of them endemic. Among those of poor flight and the sedentary ones, as could be expected,

Araña peluda (18-19 cm). *Bird-eating spider (7-7.5 in).* Sierra de Galeras, Pinar del Río.

de hongo especial, que cultivan, hasta 4 a 6 metros bajo el suelo, en las oscuras galerías, y al que alimentan a toda hora con pequeñísimos pedazos de hojas y flores. Plaga terrible en los cultivos, en el monte sano son un elemento más de la muy compleja y caprichosa naturaleza. Cuando al cabo de 20 a 30 años los bibijagüeros son abandonados, se convierten en parches de suelo muy fértil, donde muchos tipos de plantas luego crecen con especial vigor.

Las hormigas más extraordinarias, sin embargo, son las diminutas *Macromischa*. La mayoría de las especies de este género—38 de ellas—viven en Cuba, y todas, excepto una compartida con Bahamas, son

Insecto-palo. *Stick insect.*
Sierra de Canasta, Guantánamo.

endémicas. Tienen apenas 4 a 5 milímetros de longitud, y no es mucho lo que se puede apreciar a simple vista; pero bajo una buena lupa sus cuerpos lanzan una escala completa de fuegos irisados. Una especie tiene la cabeza violeta, el tórax rojo y el abdomen negro; otra es por entero verde; y las hay que añaden a estos colores el dorado, púrpura, azul y rosa. Viven en grupos de apenas algunas decenas o centenares de

Alacrán. *Scorpion with young.*
Sierra de Canasta, Guantánamo.

there is a high percentage of exclusive species. The total known species of ants, for example, is 146; there are also 84 species of seed bugs, 22 of froghoppers, and 10 of cicadas. From among these, the number of endemic species is, respectively, 72, 22, 18 and 7.

Cuba is the only Antillean island housing species (two of them) of harvester ants, the *bibijaguas*. These giants of the American tropics live in tumultuous societies of up to several million individuals. Their cities are underground; the only evidence on the surface is a group of mounds that appears as a scaled down model (1 in 10,000) of a volcanic territory. Through the craters come and go huge-headed monsters proportionally three times bigger than the largest dinosaurs.

The *bibijagua* feeds upon a special fungus cultivated in dark galleries, 10 to 15 feet under the ground. The fungus is fed around the clock with very tiny pieces of leaves and flowers. Though a fearsome plague to plantations and gardens, in natural forests it is just one more element of

individuos, y los nidales son difíciles de encontrar, pues acostumbran a fabricarlos bajo el suelo, o en pequeñas oquedades de los árboles y afloramientos rocosos.

~ ~ ~

La mayoría de las islas caribeñas están unas a la vista de otras. La Española, aunque a 77 kilómetros, en un día claro puede verse desde Maisí, incluso desde la misma costa. Cuando se navega el tramo, que hace honor a su nombre con ventoleras y oleajes de excepción, sorprende la cantidad de mariposas que vuelan sobre el mar. Pero se observa lo mismo al navegar por el

Insecto crisomélido (10mm). *Tortoise beetle.* Playa Girón, Matanzas.

Canal Viejo de Bahamas, e incluso frente a La Habana. Se ven mariposas de varios colores diferentes; unas van y otras vienen; algunas vuelan contra el viento, otras a favor. Las que vienen, lo hacen desde lejos, y les falta poco por llegar. Las que van no son muy diferentes, y es probable que muchas de ellas lleguen también, aunque

Bibijagua. *Cuban harvester ant.* Sierra de Galeras, Pinar del Río.

the capricious and complex wilderness. When a harvester ant "city" is abandoned—after 20 to 30 years of use—they turn into patches of soil where many types of plants grow with remarkably good health.

The most extraordinary of Cuban ants, though, are the minute *Macromischa*. Most of this genus' species—38 of them—live on the archipelago and all except one, shared with the Bahaman islands, are endemic. They are just about ¼-inch long, and not much of their looks can be enjoyed with the naked eye; but under a magnifying glass their bodies shoot out a whole range of colorful, iridescent fires. One species has a violet head, red thorax and black abdomen; another one is entirely green; others add purple, blue, pink and gold to the optical show. These tiny creatures live in small family groups of some dozen individuals, a few hundred at the

les falten decenas de kilómetros de vuelo sin recarga de combustible. Esto explica en gran medida por qué, de las 185 especies que habitan el archipiélago cubano, hay sólo 31 endémicas.

Mariposa nocturna (*Hyalurga hialinata*). *Moth.* Maisí, Guantánamo.

Las dos páginas anteriores/*previous two pages:* Mariposa de alas transparentes. *Greta cubana. Clearwing butterfly.* La Gran Piedra, Santiago de Cuba.

Las mariposas cubanas no alcanzan la magnificencia de las de los trópicos continentales, o de las de Madagascar y el archipiélago malayo. Si fueran feas, de todas formas habría que apreciarlas: son ellas, y no otras, las que cargan sobre sus cuerpos el polen de nuestras plantas. Pero las hay bellísimas.

Una de las mariposas más inusuales de Cuba, llamada *Greta cubana*, tiene la mayor parte de las alas por completo transparentes. Siglos atrás vivía en toda la isla;

most. Their nests are hard to spot, since they are usually located underground, or in secluded cavities of trees or rocky outcrops.

~ ~ ~ ~

Most islands in the West Indies are within sight of each other. On a clear day even Hispaniola, which is 48 miles east of Cuba, can be seen from sea level. When that stretch of water is crossed—its mood usually honors the name, Windward Passage, with exceptional winds and waves—it is surprising to see so many butterflies fluttering just above the surface. A similar phenomenon can be observed while navigating the Old Bahama Channel, and even the waters in front of the city of Havana. The butterflies are of sundry colors; some come and others go; some fly with the wind, others strive against it. The ones moving in have made a long trip, and are about to reach land and nectar. Those moving out are not conspicuously different, and there is no reason to believe they have little chances of reaching some other land dozens of miles away. This explains why, of the 185 species of butterflies that live on the Cuban archipelago, only 31 are endemic.

Cuban butterflies do not reach the magnificence of those from the continental tropics, Madagascar, or the Sunda Islands. If they were unattractive, they

Mariposa nocturna. *Moth.* ▶ Cabo de San Antonio, Península de Guanahacabibes, Pinar del Río.

hoy se la puede encontrar sólo en algunos pocos bosques de montaña muy húmedos. Pasa buena parte del tiempo posada, y

would anyhow have to be esteemed: it is these, and not the others, which carry on their bodies the pollen of Cuban plants.

Mariposa de Gundlach. *Gundlach's swallowtail.* Río Jauco, Guantánamo.

entonces es por completo indetectable. Cuando vuela, la delgada raya blanca que tiene en el borde de las alas vibra visible-

But some are actually beautiful.

One of the most unusual of Cuban butterflies, technically named *Greta*

mente, y permite descubrirlas y seguirles el curso por entre la ramazón. Pero entonces no parece una mariposa, sino algo aún más etéreo; algo así como su fantasma.

La mariposa más bella de Cuba se llama *Parides gundlachianus*. Vive en las provincias orientales, y es común a todo lo largo de la costa suroriental, desde Sardinero, al este de la bahía de Santiago de Cuba, hasta el mismo Maisí. También se la ve en las montañas. En 1962 se detectaron algunos ejemplares en las cercanías del Valle de Viñales, y en 1975 se confirmó, al colectarlas, la existencia de una muy reducida población occidental. Intranquila, ni siquiera cuando liba de manera abundante deja de batir las alas. Pero vuela despacio, y se alimenta con frecuencia en las flores bajas. Se conoce que pone los huevos uno por uno, y que sus larvas son caníbales. El lujo de sus llamativas manchas de color rojo y verde azul le viene de toxinas que la oruga toma de la planta hospedera y que almacena; los adultos, en consecuencia, tienen mal sabor y son evitados por algunas aves. Los chipojos, me consta, no tienen inconveniente en devorarlas.

En las Antillas no viven otras especies del género *Parides*; pero las hay en América Central y del Sur. La especie hermana más parecida a *gundlachianus* vive, sin embargo, en América del Sur, y se calcula que ambas tuvieron un abuelo común unos 60 a 100 millones de años atrás. La fragilidad de las mariposas es engañosa; su estirpe revolotea por el planeta desde los tiempos en que la tierra, el mar y los cielos estaban saturados de reptiles recios, la mayoría de los cuales no dejó un sólo descendiente.

cubana, has the greater part of its wings completely transparent. Centuries back it lived across the main island; today it can only be found in a few well preserved and very humid mountain forests. The Cuban clearwing spends a good deal of time just resting on a perch, and is then undetectable. When it flies, though, the thin white stripe present close to the edge of the wing, vibrates quite visibly, and allows one to follow their path through the shady low vegetation. Even then, it doesn't look like a butterfly at all; but something much more ethereal, perhaps its phantom.

The prettiest butterfly in Cuba is *Parides gundlachianus*, an inhabitant of the eastern mountain ranges. Fortunately it is common along the coast, from Sardinero (east of Santiago de Cuba bay) to Maisí, although it is also abundant in the mountains. Surprisingly, in 1962 some individuals of this species were spotted not far from Viñales Valley, and in 1975 its presence there was confirmed with the netting of some specimens. Gundlach's swallowtail is a dynamic butterfly, constantly beating its wings even when sipping nectar from a plentiful source. But it usually flies low, at times feeding close to the ground. Eggs are laid singly, and its caterpillars are known to be cannibalistic. The adult's eye-catching red and blue-green iridescent wingmarks are a luxury resulting from toxins taken from host plants by the larvae; as a consequence, they are supposedly avoided by some bird species that cannot tolerate their bad taste. But knight anoles, I know by experience, have no difficulty devouring them.

Chipojos y bayoyas

Las Antillas son ambiente de lagartos. La enorme diversidad que habita estas islas (unas 320 especies) divierte la pupila, el corazón y el intelecto diez veces más que la observación de aves. Si hacia la región no ha habido hasta hoy un flujo de observadores de lagartos es sólo a causa de los prejuicios y limitaciones afincados en la educación.

En Cuba viven 87 especies de lagartos, y dominan cualquier ambiente, a cualquier hora del día. El rango de tamaño abarca desde la iguana, con hasta 1,8 metros de longitud total, hasta las diminutas salamanquitas. Los cuerpecillos de algunas tienen sólo 18-20 milímetros de longitud; son, por tanto, serias contendientes a la medalla de oro en "miniaturización" entre los reptiles. La mayoría de los lagartos activos por el día pertenecen a dos grupos, de aspecto y costumbres bien diferentes. El primero lo conforman animales arbóreos y de silueta muy estilizada; los del segundo son terrestres y regordetes.

Los arbóreos, llamados *lagartijas*, pertenecen a un mismo género. Este tiene, entre los vertebrados, un segundo lugar mundial en número de especies, con 250, las que se encuentran diseminadas por los trópicos de América. Las Antillas parecen haber sido diseñadas para estos lagartos; albergan unas 138 especies, la mayoría endémicas de una sola isla. Una de ellas apareció incrustada en una pieza de ámbar dominicano, lo que prueba su presencia en estas tierras al menos 14 a 18 millones de años atrás. A diferencia de sus congéneres

There are no other species of *Parides* butterflies in the Antillean islands; but this genus has other species living in Central and South America. It has been estimated that the ancestor common to the Cuban and continental *Parides* butterflies lived 60 to 100 million years ago. The fragility of butterflies is deceiving; their lineage has been fluttering over the planet since the time when the land, sea and sky were saturated with sturdy reptiles, most of which left not a single descendant.

Lizards and Frogs

The Antilles are lands of lizards. Their enormous diversity (some 320 species) entertains the eye, the heart and the intellect ten times more than birdwatching. If towards this region there hasn't been a flow of lizardwatchers, it is only because of prejudice and limitations of taste deeply rooted in education.

A total of 87 species of lizards live in Cuba, and they dominate every scenery, day and night. Their sizes range from that of the iguana, which grows to a total of 6 feet, to the minuscule dwarf geckos, some of which reach a body length of about ¾-inch; they are serious contenders to the miniaturization gold medal, reptilian class. Most lizards active during the day belong to two different groups, and their looks and habits are quite unlike. The first of these ensembles is made up of

Anolis-palito de Ojito de Agua. ▶
Ojito de Agua twig anole.
Los Rusos, Ojito de Agua, Guantánamo.

continentales, las lagartijas antillanas viven no uno, sino cuatro y hasta cinco años.

Cuba es cuna y casa de 50 lagartijas, y todas, excepto dos o tres, son exclusivas. La cifra no es definitiva; ha ido creciendo desde 1837, y desde entonces el ritmo de descubrimiento de novedades ha aumentado. Entre 1850 y 1899, por ejemplo, se describieron 9 especies de lagartijas; y desde 1950 hasta la fecha han aparecido nada menos que 25. A nadie extrañaría que en las próximas dos décadas se descubran 10 a 15 especies adicionales. Quizás más.

Chipojo azul. *Blue knight anole.* Cayo Coco.

A pesar de que todas las lagartijas viven sobre la vegetación, se alimentan por igual de casi cualquier criatura que se mueva en su campo visual y tienen "pañuelos" coloridos en la garganta, hay diferencias considerables entre las múltiples especies. Las hay pardas, verdes, azules, grises y negras; robustas y

arboreal and shapely animals; those of the latter group are ground-dwelling, their bodies somewhat ponderous.

The arboreal crowd receive in Cuba the name *lagartijas*, and all belong to the same genus, *Anolis* (hence *anole*, the word that groups them in English common parlance). Worldwide, it is the second most speciose vertebrate genus, with some 250 species disseminated across the American tropics. The West Indies appear to have been especially designed for anoles, housing 138 species, the majority endemic to but a single island. One of these *lagartijas* showed up inside a piece of Dominican amber, which proves that the residency of these animals on the islands is at least 14 to 18 million years old. An outstanding difference from their mainland cousins is their much longer life span: up to 4 to 5 years instead of one.

Cuba is the cradle and home of over 50 species of anoles, and all, except two or three, are exclusive. The sum is not definite. Since the first Cuban anole was described, way back in 1837, the number of species has grown constantly. Between 1850 and 1899, for example, only 9 new species were found; but since 1950 until today no less than 25 anoline novelties have been recorded. It would not be surprising if the next two decades of bushwhacking produced an additional 10 to 15 species of *lagartijas*. Maybe more.

Although the majority of lizards live on the vegetation, feed on just about any small critter that moves in their visual field and have colorful flaps of skin in their throats, there are considerable differences among the species. Most are brown,

exageradamente delgadas.

Las mayores lagartijas, que ya hemos mencionado, son las 6 especies de chipojos. Sus vidas transcurren en lo alto de los árboles, pero alrededor del mediodía descienden por el tronco casi hasta el suelo. Como allí el follaje es escaso y la visibilidad árbol-a-árbol mucho mayor, suponemos que este hábito les permite descubrir a sus vecinos más cercanos, pelear con ellos y reafirmar su posesión territorial. Los chipojos están entre las pocas lagartijas con territorialidad bisexual. Excepto en los momentos de intención amorosa, cada uno se comporta de manera agresiva para con todos los demás. En concordancia con esto el "pañuelo" de las hembras, en vez de ser, como es norma, mucho más reducido, tiene la misma superficie que el de los machos.

Los chipojos representan bien una "anomalía" biológica típica de las islas, la del gigantismo. El motivo por el cual Las Antillas son cuna de las especies mayores entre 250 que habitan desde Carolina del Norte hasta el sur de Brasil, es la "incompletación" de la fauna. Ocurre que una buena parte de los vertebrados—aves, reptiles y mamíferos—que habitan el continente, por una u otra razón, no han logrado establecerse en las Antillas. Las islas, por consiguiente, tuvieron en un inicio (hace 4 ó más decenas de millones de años), un gran número de "plazas" ecológicas vacantes.

Una de las mesas de este restaurante antillano, servida día a día y sin un solo comensal, estaba en lo alto de los árboles. La "casa" no tenía una especialidad culinaria; había en cambio gran variedad de

but some are green, blue, gray or blackish. A number of species are robust; others of very light build.

The largest anoles, 6 species of *chipojos*, have already been mentioned. Their errands take place mostly on the upper foliage of tall trees, though at midday they move down the trunk and perch for long periods at a low level. Since leaves are few below and tree-to-tree visibility high, it is supposed that this habit allows them to keep an eye on nearby competitors, and assert with threats and actions their territorial domain. Knight anoles are among the few of the genus with equal-to-equal male-female territorial conflicts. Except in moments of sexual intentions, each lizard behaves aggressively towards all others. An accompanying oddity is that females have their dewlaps as large as males.

Knight anoles represent a biological "anomaly" typical of islands, that of gigantism. The reason for the Antilles having the largest anoles among 250 species living from North Carolina to southern Brazil is faunal "incompleteness." It happens that a good many vertebrates living in the continent—birds, reptiles, mammals—for one reason or another never managed to establish themselves in the Antilles. Since their biological beginning (four or more tens of millions of years ago), these islands have thus had a great number of vacant ecological niches.

One of the tables of this Antillean restaurant, served day by day and without a single commensal, was high up in the trees. The "house" had no culinary spe-

Lagarto espinoso. *Spiny anole.* Cabo de San Antonio, Pinar del Río.

platos. El menú lo componían los mayores saltamontes, cucarachas y mariposas, y las más pequeñas ranitas, lagartos y aves; animales todos que, en los trópicos continentales, sirven de presa a mamíferos y aves cazadores. Este fue el incentivo para que algunos lagartos de talla "normal" de la Cuba germinal se convirtieran en gigantes, en los chipojos de hoy (la "incompletación" de la fauna también explica la evolución de tantas especies de tallas muy reducidas).

En lo más alto de los bosques, entre las hojas agitadas por la brisa fresca, el chipojo

cialty; but there was a great variety of dishes. The menu listed large grasshoppers, cockroaches and butterflies, and also the smallest imaginable frogs, lizards and birds, animals that, on the continental tropics, are prey to certain birds and mammals. This unoccupied ecological space is what allowed some normal-sized lizards of germinal Cuba to develop into the giants of today. (Faunal "incompleteness" also explains the evolution of dwarf species.)

High up on the trees, among the

aplica toda su paciencia de reptil, que es enorme, y espera, agachado e inmóvil, la aparición de posibles presas. La silueta, casi siempre verde, está "rota" en varios lugares por rayas, listas, manchas y punteados. El enmascaramiento es tan eficaz que a ningún zoólogo se le ocurriría buscarlo mientras está al acecho entre el follaje. La mejor prueba de lo bien que se funde con ramas y hojas está en que, sin ser ágil, con frecuencia captura hasta zunzunes y bijiritas.

Muchas lagartijas están en la categoría de tamaño de la común, y algunas son también pardas. La diferencia más sobresaliente entre las diversas especies está en el tamaño y colorido del "pañuelo". Por lo general este tiene una superficie similar a la silueta de su propia cabeza, pero en dos de las especies llega a ser casi inexistente, y entonces la piel que le corresponde ni siquiera tiene una pigmentación especial. Otras especies, como el lagarto de las piedras, tienen un "pañuelo" gigante, cuya superficie supera en dos veces la silueta de la cabeza. Las hembras de casi todas las especies, incluso esta última, tienen el "pañuelo" mucho más pequeño, y casi por completo descolorido. El "pañuelo" no cumple, de manera directa, ninguna función útil al bienestar de estos lagartos. No atrae posibles presas ni distrae o confunde a los depredadores. Tampoco sirve para calentar o enfriar sus cuerpecillos de manera más eficiente. Su función fundamental es la de servir de identificación de la especie en la compleja lucha por el derecho exclusivo a un territorio de caza.

Teniendo Cuba tantas especies de lagartijas, no debe sorprender que

wind-shaken leaves, knight anoles apply all their reptilian patience, which is enormous, and await, crouched and frozen, the apparition of potential prey. Their silhouette, generally green, is broken in several places by lines, spottings and blotches. Camouflage is so efficient that no zoologist would think of looking for them among the leaves. The best proof of how well their bodies match the surroundings is that, without being especially agile, the *chipojos* frequently catch even hummingbirds and warblers.

A good many *lagartijas* are in the size-category of the common anole, and a few are also brown. The most distinctive character is the size and coloration of the throat fan. This structure generally has a lateral surface similar to that of the silhouette of the head. But 2 species practically lack a dewlap, and then the corresponding skin is not markedly colored. Others, like the rock anole have a dewlap surface that doubles that of the head. Female anoles usually have a much smaller and bleached version of their partners' flags. The male's dewlap bears no direct mission in survival; it does not attract prey, nor distract potential predators. Neither does it have any use in warming their bodies more efficiently. Its sole function is clear identification of competitors for hunting space and mates.

Since Cuba has so many species of anoles, it is not surprising, then, that their dewlaps show a large diversity of colors. Besides the traditional shades of red, there are throat fans tinged in pink, yellow, ochre, gray, pale brown, peach, green, pale blue, and even white and mauve. As if

muestren, en sus "pañuelos", un arco iris barroco que añade a los tradicionales tintes rojizos, el rosado, amarillo, ocre, gris, pardo claro, melocotón, verde, azul pálido y hasta blanco y malva. Como si los colores planos no bastaran, muchas han recurrido a la combinación de dos colores, y a la añadidura de rayas y semicírculos. El resultado es un operativo sistema de señales, y un tremendo ahorro de energías: jamás se ven lagartijas de diferentes especies persiguiéndose o peleando entre sí. En aquellas especies en las que las hembras tienen "pañuelos" vestigiales, los machos toleran a una o más en su territorio. Ellas, por otra parte, son mucho menos intolerantes entre sí que los machos.

Dos de las lagartijas más interesantes de Cuba son quizás el llamado coronel, y el lagarto de agua. La primera es experta en acrobacias sobre los farallones rocosos, incluidas las paredes y techos del umbral de las cuevas. Se la encuentra por toda Cuba, excepto los extremos occidental y oriental. De piel algo translúcida, que aumenta a nuestra vista su aspecto ligero, coloca sus huevos en grietas altas, donde se adhieren a la roca. Este lagarto tiene un párpado inferior especial, algo translúcido, con el que puede cubrir el ojo. Se ignora la función: probablemente sirva para proteger el ojo de las partículas de polvo que desprende al caminar y correr por el techo de las cuevas.

La segunda, el lagarto de agua, vive en las serranías occidentales, donde es común. Su existencia está tan ligada al medio acuático que sólo se le encuentra en las márgenes mismas de los ríos y arroyos, posado en los troncos y ramas que cuelgan sobre el agua. Cuando se ve amenazado,

Lagarto de agua. *Cuban stream anole.* Sierra de Galeras, Pinar del Río.

plain color were not sufficient, many species have recurred to the combination of two colors, often with supplemental lines and crescent marks. The result is an operative and energy-saving system of signals: anoles of different species are never seen chasing each other or quarreling. In species where females have vestigial and bleached dewlaps, the male tolerates one or more of them within his territorial boundaries. These females, on the other side, are much less intolerant among themselves.

Two of the most interesting anoles of Cuba are perhaps the slender cliff or

pega un salto en apariencia suicida. Es capaz, como la totalidad de las lagartijas, de nadar, pero además bucea, con las extremidades plegadas y ondulando el cuerpo a la manera de los cocodrilos. Entre sus habilidades originales está resistir bajo el agua decenas de minutos sin respirar, y también, mediante un pataleo frenético de las patas posteriores, correr por sobre la superficie de los ríos y arroyos. Se alimenta de insectos, ranitas, guajacones y peces.

El cuerpo de los machos del lagarto de agua alcanza una longitud de 13 centímetros; bastante mayor que el promedio antillano. Las hembras son mucho más chicas que los machos, y tienen todo el cuerpo cubierto con bandas oscuras, una línea dorsal clara y rayas blancas sobre la inserción de las extremidades. Esa distinción quizás las mantiene al margen de los conflictos territoriales de los machos, que alcanzan gran intensidad.

En sus demostraciones de fuerza los lagartos de agua arquean el cuerpo de forma exagerada, cruzan las patas posteriores por debajo de la cola, inflan la garganta y se sacan mutuamente la lengua. Si ninguno de los contrincantes se desanima ante la imagen del rival, el asunto se convierte en un altercado mayor, salpicado de embestidas y mordidas que los puede llevar, como es de suponer, al agua. Hace algunos años tuve la suerte de presenciar uno de estos combates; el lagarto que tenía la cabeza del otro agarrada con sus mandíbulas no soltó hasta pasados 4 ó 5 minutos de flotación. Sólo entonces nadaron, por separado, hacia distintos puntos de la orilla.

Cuba tiene también lagartijas diminutas, que están entre las más pequeñas del

colonel anole and the Cuban stream anole. The first is an expert in rock-acrobatics, and lives on cliffs and rocky outcrops, including the walls and ceiling of cave entrances. It is found throughout most of the island, except the eastern and western parts. With a somewhat translucent skin, something that builds upon his light complexion, the colonel anole "lays" its eggs in cracks of the cave ceilings, glued to the bare rock. This lizard has unique translucent lower eyelids, with which it can cover the eyes. The function of this structure has not been ascertained. A good guess would be for keeping the dust particles loosened from the ceiling from getting into the eyes.

The second interesting *lagartija*, the Cuban stream anole, lives exclusively in the western mountain ranges, where it is common. Its existence is tightly connected to water; so much, in fact, that it is only found on river margins or perched on the branches that hang above the water course. When this anole feels threatened, it takes an apparently suicidal jump. Like all other anoles, this one is capable of swimming, but it is additionally an excellent diver. The stream anole moves underwater in crocodile fashion, undulating the body, with all four legs pressed to its sides. Among his original abilities is subsisting underwater dozens of minutes without breathing, and, by means of a frenzied kicking of the rear limbs, that of running over the surface of the rivers and creeks. His diet combines insects with frogs, tadpoles and fishes.

The body of the male stream anole reaches a length of 5 inches, much larger

nutrido género. Habitan las hierbas y arbustos bajos, y son en extremo delgadas, tanto que parecen estar enfermas. Las patas, sobre todo las posteriores, son muy largas y la cola supera hasta tres veces la longitud del cuerpo. En el archipiélago viven unas 15 especies de estas lagartijas, ninguna de las cuales tiene un verdadero nombre vulgar. Los zoólogos las llaman "yerberas".

Para capturar una de estas lagartijas entre la vegetación baja, hace falta combinar los intereses de un profesional y la agudeza visual de un halcón, con la velocidad de manos de un campeón de tenis de mesa. Por lo general permanecen recostadas a ramas tan delgadas como ellas mismas, y como son de color pardo cenizo, resultan casi invisibles. Tienen, además, una increíble habilidad para pegar saltos olímpicos en sucesión ininterrumpida. Lo que se observa en el primero de estos saltos, si se tiene suerte, es el borrón de un flequillo volador; en el segundo apenas se adivina una sombra delgada. Después uno se puede gastar en vano la retina en el intento por descubrir dónde al fin se posó. Capturar una de estas criaturas roza la categoría del milagro.

Los lagartos terrestres y regordetes pertenecen a otro género, suman 6 especies y pueden ser llamados por su nombre indígena, bayoyas. La mayor y más común retiene en las provincias orientales su nombre taíno específico: *caguayo*. En el resto de la isla, sin embargo, su presencia en las costas rocosas y la costumbre de correr con la cola tan enroscada como un sacacorchos, le ha ganado el nombre de perrito de costa. Como adaptación a los sustratos muy

than the average size for an Antillean lizard. The female weighs about half as much as the male, and is distinctly labeled with a pale dorsal line and pure white streaks above the insertion of each limb. These markings probably serve to liberate them from being targets of male territorial conflicts, which can be particularly intense.

Threat displays of the stream anole begin by arching their bodies, crossing the rear legs under the tail, inflating their throats and sticking out the tongues. When these postural signals are insufficient in dissuading any of the two contenders, the conflict intensity then reaches physical contact, with pushes and bites that can take them both, as can easily be supposed, to the water. Several years back, I witnessed one of these combats, which continued for several minutes, jaws tightly locked, in a large pool of water. At a certain point they both let go and swam in different directions to the shore.

Some Cuban anoles are among the smallest of the genus. They live among the grasses and low bushes and are extremely thin, to the point of seeming ill. Their legs, especially the posterior ones, are quite long, and their tail is up to three times longer than the body. The archipelago houses about 15 species in this category, none of which has earned a vernacular name. Zoologists call them grass anoles.

To secure a grass anole among the low vegetation, it is required you have the interests of a professional, the visual acuity of a kestrel and the speed of hands of a world-class ping-pong player. The lizards

Lagarto de las piedras. *Red-fanned rock anole.* Sierra de Galeras, Pinar del Río.

abrasivos tiene todo el cuerpo cubierto de escamas ásperas y aquilladas.

Las bayoyas no tienen "pañuelo", pero

commonly perch lengthwise to a twig or blade of grass. As can be guessed, the first are twig-colored, grayish brown with

cuando hacen demostraciones de fuerza para reafirmar su territorio de vida, le presentan al vecino la garganta inflada. El caguayo, aunque es sólo primo del lagarto de agua, utiliza en su demostración casi los mismos ingredientes, incluso la exhibición de la lengua.

Las otras 5 especies viven sobre la tierra o la arena, y tienen la piel más bien lisa. Ninguna curva tanto la cola, cuando más la tuercen media vuelta, y entonces la punta queda bamboleando en el aire como si fuera un muelle roto. Entre ellas está la bayoya común y el arrastrapanza. Las bayoyas son

Perrito de costa o bayoya. "Shore-puppy" lizard. Cayo Inglés, Los Canarreos.

todas omnívoras, y consumen por igual frutillos, flores e insectos. Por lo general no son numerosas, aunque se las puede encontrar en casi cualquier ambiente. En la vegetación rala contigua a algunas costas y en la aledaña a las márgenes de algunos arroyos, sí hay poblaciones abundantes.

Otro lagarto terrestre diurno, pero de silueta estilizada, es el correcosta. Su nombre le viene de la agilidad con que se mueve—propia de las más rápidas serpientes—, y por su presencia en las maniguas costeras. También se le puede encontrar

nicely scattered spots and lines, while the latter are greenish: both nearly invisible. Additionally, they have an incredible ability to produce an uninterrupted succession of Olympic jumps. What you see of the first jump, if you are lucky, is the blur of a flying thread; of the second you conjecture a thin shadow. Afterwards you can vainly punish your eyes trying to find where the little thing finally settled. Capturing one of these creatures is something approaching the miraculous.

The stockier, ground-dwelling lizards are generically called curly-tails. There are a total of 6 species, which are known in Cuba by their Taino name, *bayoyas*. The largest one retains its specific Taino name, *caguayo,* in the eastern provinces. Across the rest of the island, though, its habit of running around with the tail curved up into a coil and its abundance in rocky shores has earned him the name *perrito de costa*, which means "shore-puppy." As an adaptation to such an abrasive substrate, the scales that make up its skin are coarse, imbricated and keeled.

The curly-tailed lizards do not possess a throat fan, but when they make their threat displays in order to claim rights to a territory, they inflate their throats. The shore-puppy's display is, in fact, identical to that of the Cuban stream anole, including the "insult" of sticking out the tongue.

The other 5 species of curly-tailed lizards live in forests or beaches and have a rather smooth skin. None of them curves the tail that much; at most they twist it half a turn, and then it dangles in the air like a broken spring. Two of their species are the common curly-tailed lizard

tierra adentro, en bosques secos, y a laorilla de los caminos. Se alimenta de comejenes, hormigas y escarabajos pequeños. Habita también las Bahamas, y entre los dos archipiélagos se han reconocido nada menos que 37 razas diferentes: 37 especies incipientes. Hay 27 razas cubanas, que se diferencian por el tamaño (de 71 a 136 milímetros de largo corporal), el colorido de la garganta, lados del cuerpo y cola, y por la presencia de franjas longitudinales.

El correcosta es de un dinamismo particular. A diferencia de la mayoría de los lagartos, puede correr grandes distancias sin mostrar el menor indicio de cansancio; incluso cuando descansa, ejecuta una serie de movimientos rápidos, aunque con ellos no avanza ni un milímetro. Los juveniles tienen la cola de color azul iridiscente: un recurso para atraer hacia ese órgano la atención de los depredadores, entre los que se destaca el cernícalo. A nuestra vista la medida parece muy efectiva: el color dorsal de la cabeza y del cuerpo (a rayas grises, pardas y negras), combina bien con su movimiento perpetuo, y enmascara al lagarto entre la hojarasca y las ramitas secas. Del correcosta se observa, por lo común, apenas un apéndice color azul eléctrico, que larga a la menor presión, para luego escapar con vida. A los pocos meses le crece otra semejante.

Casi la totalidad de los lagartos nocturnos de Cuba son hermanos de sangre, y muy, muy, pequeños. Se les llama salamanquitas, y hay 18 especies. Criaturas frágiles, de cuerpo y cabeza delgados, viven entre la hojarasca, bajo piedras y troncos caídos, y también en los intersticios de la corteza de los árboles. Las

and another called in Cuba *arrastrapanza*, which means something like "the one that drags its belly" (guess why). All ground lizards are omnivorous, feeding on small fruits, flowers and insects. As a rule they are never abundant, but they can be found in almost any natural setting. They can be common in the low vegetation fringing the beaches, and in the one lining some river banks.

Another kind of lizard, unrelated to the group just mentioned above, dwells on the ground. Its name in Cuba is *correcosta,* which means "coast-runner;" a well deserved one. This lizard moves as fast as the fleetest snakes, and is a common sight under the coastal brushes. It can also be found far from the coast if the forests are dry, and on the sides of the roads. It feeds on termites, ants and small beetles. The species, unlike all lizards so far mentioned, is shared with the Bahamas, and across its range 37 races have been recognized: 37 incipient species. Twenty seven of these races live in Cuba, which have different sizes (from 3 to 5½ inches of body length), and considerable variation in the color of their back, throat, sides and tail.

The coast-runner is particularly active. Unlike most lizards, it is capable of running long distances without a hint of exhaustion; even when at rest, it performs a series of lightning-fast jerky leg movements that take him nowhere. Juveniles have an iridescent blue tail: a means of attracting to that appendage the attention of would-be, sight-oriented predators, like the kestrel. From our perspective, the gimmick is effective: the

casas cercanas a las arboledas son generalmente invadidas por salamanquitas. Acechan por las paredes a los insectos, con tácticas felinoides, acercándose a sus

Jubito magdalena. *Black-and-white racer.* Sierra de Galeras, Pinar del Río.

seguras presas con movimientos como de miel derramada. El último tramo lo ganan a velocidad tan grande que la presa parece esfumarse de la escena.

~ ~ ~

El temor a las serpientes, cuya motivación es fácil adivinar en la vida de nuestros antepasados lejanos, no tiene en Cuba razón de ser. Aunque el archipiélago cuenta con una respetable gama de ofidios, ninguna de las 26 especies conocidas representa peligro. Dieciocho de ellas son exclusivas.

La serpiente que sigue en tamaño al majá de Santamaría, el jubo, alcanza poco menos de dos metros de longitud. De hábitos diurnos, es el ofidio más comúnmente observado de un extremo a otro de

dorsal striped pattern combines well with the lizard's perpetual movement to neatly mask the animal against the dry-leaves-and-broken-twigs background. As a rule what you see of a juvenile coast-runner is a tiny electric-blue whip, one it is fond of breaking off at the slightest pressure. A few months later it will grow a brand new tail.

Most of Cuba's nocturnal lizards are blood brothers, and very, very small. In all, there are 18 species of these dwarf geckos. Fragile creatures, they all have a narrow head and a rather elongated body. They live among the forest litter, under stones, inside rotting tree trunks and underneath loosened pieces of bark. Houses near forested areas are usually invaded by the dwarf geckos, which can then be observed catching insects across the walls with cat-like cunning, approaching their sure prey with movements like spilled honey. About an inch from their quarry, they stop for an instant, and then the insect . . . simply disappears.

~ ~ ~

The fear of snakes, whose cause anyone can guess looking back into the life of our distant ancestors, has no ground in Cuba. Even though the archipelago holds a respectable array of these legless reptiles, none of the 26 species is dangerous. Eighteen are endemic.

The second largest snake on the archipelago, after the Cuban boa, is the Cuban racer. It reaches 6 feet, is entirely diurnal in habits, and is the most commonly observed ophidian across the island and

Cuba; habita también muchos cayos. De carrera muy rápida, por lo general desaparece de la vista en pocos segundos. En terrenos herbáceos, a veces esconde la parte delantera del cuerpo y levanta entonces la punta de la cola y la ondula. Con esta conducta muestran de manera provocadora el pálido color ventral, lo cual quizás sirva para atraer al perseguidor hacia el extremo poco vital de su cuerpo. Pone camadas de hasta 58 huevos.

Existe entre la gente de campo la creencia de que esta especie es peligrosa. Quizás a ello haya contribuido el comportamiento defensivo que a veces manifiestan: ensanchan la región del cuello a la manera de las cobras, y amenazan con morder. De hecho, muerden a la primera oportunidad, pero sus dientes son pequeños y el daño es menor. Aunque es considerado inofensivo—a mí me han clavado los dientes, sin percance alguno-, algunas personas han enfermado por la mordedura de un jubo. Un caso reciente llegó a un estado comatoso que duró varios días. Al parecer un jubo, o una persona, de cada muchos centenares, hacen una combinación infeliz.

Todas las demás serpientes cubanas, excepto una que casi llega al metro, alcanzan, cuanto más, 50 centímetros de longitud. La mayoría pertenece a dos grupos: los majacitos bobos, de los cuales se conocen 11 especies; y las culebritas, con 8. Al ser capturados, ninguno de ellos hace siquiera el intento por morder, y todos son de estricta nocturnidad.

Si no fuera por los herpetólogos, que en busca de sus preciados reptiles voltean cada roca, y a la noche registran los montes

keys. A fast moving character, it usually stays in view just a few seconds. On grassy terrain it sometimes hides most of its body under the vegetation and then elevates and wiggles the tip of its tail. Although the Cuban racer's tail is not disposable, this provocative behavior may be parallel to the blue whip behind the coastrunner's body: a way to attract the attention of predators to the less vital end of its body. It lays batches of up to 58 eggs.

A good many country people swear that this snake is dangerous. The Cuban racer has assisted in building upon this belief, especially when cornered. Its threat display includes facing the offender and spreading the neck ribs to form a hood, not unlike an Asian cobra; quite a spooky image to be sure. And it would, in fact, strike, as soon as you got close enough. Although their bite is considered innocuous—I have been bitten a couple of times; no complaints—some people have actually fallen seriously ill. A recent case even dropped into a comatose trance for several days. It seems that one out of many hundred Cuban racers makes an unhappy mix with people.

The remaining species of Cuban snakes, except one, are close to a foot long. The exception reaches about 3 feet. Most of them belong to two different groups: the *majacitos bobos* (dumb pygmy boas; for the brevity let's drop the *dumb* part; although they are not really boas either . . .), of which 11 species are so far known in Cuba; and the *culebritas* (snakelets), comprising 8. Even in the wild, every single one of these animals can be picked up without the slightest

con linternas potentes, la mayoría de los majacitos serían desconocidos. Una de las especies, nombrada por ellos majacito bobo común, es común en los jardines de la misma Habana. Existen sólo para los niños, que revuelven a fondo cada piedra de los solares y las disfrutan; y para las lagartijas, que los sufren.

Cuando los majacitos bobos son descubiertos, no hacen el menor intento por huir ni por morder. Pero el epíteto calumnioso es una pifia total, cometida al proyectar sobre ellos nuestra psicología para la supervivencia. En realidad son difíciles de comprender; los únicos recursos defensivos que se les conocen a algunos de estos animales son el mal olor (muy convincente, lo

precaution. All are strictly nocturnal.

If it weren't for herpetologists, the people who in search of precious reptiles flip every rock, and at night scrutinize nooks and crannies with powerful headlights, most species of pygmy boas would still be unknown. One species, the common pygmy boa, is common even in Havana gardens, but so secretive as to be enjoyed only by the children, who turn over each and every stone in the plots, and suffered by the anoles, who are often turned into their prey.

When a pygmy boa is found, it does not make the slightest effort to run or bite. But the vilifying adjective that usually precedes their name (dumb) is a sub-

Majacito pigmei de Wright. *Wright's pygmy boa.* Palenque, Guantánamo.

puedo asegurar . . .), hacerse una bola, y la inescrutable costumbre de soltar por los ojos, al ser atrapadas, un par de gotas de sangre. Algunas especies, para colmo, ni siquiera utilizan estas defensas. Entre ellas están el majacito bobo de Feick, el de Wright y el majacito amarillo y negro, sin duda las serpientes más bellas de todas las Antillas.

~ ~ ~

La diversidad de las ranas cubanas es menor que la de los lagartos, pero alta: pueblan la manigua 46 especies. De ellas 31 están muy relacionadas y todas, menos una, son endémicas del archipiélago. El género al que pertenecen, llamado en latín *Eleutherodactylus*, es mucho más largo que la mayoría de ellas, y agrupa un total de 525 especies, dispersas por el trópico americano. Al igual que con las lagartijas, Cuba es sede de los récords de tamaño de ambos extremos. La menor, llamada ranita de Cuba, es la segunda rana más pequeña del planeta; los adultos miden 11,5 milímetros. Habita toda Cuba, pero sólo en los bosques mejor conservados. La especie "gigante", la ventorrilla de cuernos, está circunscrita a las montañas de occidente, y alcanza 83 milímetros.

Las ranitas *Eleutherodactylus* son todas terrestres. Algunas especies viven sobre los árboles, en el húmedo ambiente ofrecido por la multitud de curujeyes que cubren la superficie superior de las ramas. Ponen los huevos no en el agua, sino en el suelo o sobre los árboles, escondidos en rincones oscuros. El renacuajo se desarrolla dentro del huevo, y cuando éste se rompe ya sale

stantial mistake; the result of projecting on them our own survival psychology. They are, in fact, really hard to understand. Their only known lines of defense are curling into a ball, a foul smell (a quite

Ventorrilla de cuernos.
Cuban giant eleuth.
Sierra de los Órganos, Pinar del Río.

convincing deterrent, I can assure), and releasing a couple of drops of blood from the eyes. Some species even do without all three abilities. Among them are Feick's pygmy boa, Wright's pygmy boa and the yellow and black pygmy boa, no doubt the most beautiful snakes in the West Indies.

~ ~ ~

The diversity of Cuban frogs is less than that of lizards, but still very high: a total of 46 species. Thirty one of them are closely related and all but one are endemic to Cuba. Their generic name, *Eleutherodactylus*, is much longer than

saltando la miniatura de la miniatura, algo tan diminuto que es difícil de creer. El recién nacido de la campanita común, tan abundante en los jardines de toda Cuba, tiene apenas 3 a 4 milímetros de longitud.

Rana platanera. *Cuban tree frog.* Santo Tomás, Península de Zapata, Matanzas.

Esta especie, también llamada "pollito de patio", por la similaridad de su llamada con la voz de los pollitos recién nacidos, invadió hace muchas décadas el sur de la Florida, probablemente en embarques de plátano. Hoy habita cada jardín de la península, y comienza a instalarse en Nueva Orleáns.

El canto de cada especie es único, y está basado en "palabras" compuestas por unas pocas sílabas. En cualquier bosque húmedo viven varias especies. Sus voces

most of these frogs, and groups a total of 525 species across the American tropics. As with the anole lizards, Cuba houses the largest and smallest species of the genus. For lack of a true vernacular name, the tiny jumper is called Cuban froglet, and is the second smallest amphibian in the world; adults are just under ½-inch long. It is found (with some trouble . . .) throughout Cuba, though only in well preserved forests. The Cuban giant eleuth is restricted to the wetter parts of western mountain ranges. It reaches a length of about 3 inches.

The eleuths are all terrestrial. Some species live on trees, in the humid envi-

Sinsontillo. *Cuban gnatcatcher.*
Imías, Guantánamo.

van desde el susurro hasta percusiones audibles a centenares de metros de distancia. Recuerdan el golpe de claves de madera, el sonido de gotas de agua cayendo en una charca, chiflidos, chasquidos . . . , todas, sin excepción, muy agradables de oír. El coro es encantador.

Cayamas y guaraguaos

No hace falta ser isla para servir de estación de receso a las aves migratorias. Como bien conoce cualquier persona con experiencia de navegación en el Caribe, en ocasiones las aves, agotadas, aterrizan sobre cualquier embarcación, y descansan la musculatura horas enteras antes de continuar su propia trayectoria.

Una multitud de aves aprovecha año tras año la fantástica posibilidad de vivir en un verano perpetuo: uno, fresco, en el continente del Norte, y otro algo más cálido en el del Sur. Las alas propias, y una capacidad de orientación geográfica envidiada por los

ronments created by the abundant bromeliads covering the upper surface of the branches. Their eggs are laid not in the water, but on the ground (or tree branches), hidden in dark recesses. The tadpole (technically a larvae) develops inside the egg, and the baby frogs are unbelievably small. Newborns of the once so abundant common froglet are barely 1/8-inch long. This species, whose call reminds one of the chirping of chicks, invaded southern Florida many decades ago, probably traveling incognito amongst banana shipments. Today it is well established across the peninsula, and beginning to settle in New Orleans under its new US-name, greenhouse frog.

The call of each eleuth species is unique, and made up of but a few "syllables." Several species usually coexist in well preserved and humid forests, and the loudness of their voices ranges from whisper to percussive and can be readily audible hundreds of yards away. Their voices bring to mind that of the beats from the wooden *claves* so basic in Cuban popular music, the sound of droplets hitting a pond, sizzles, ticks and chatters. All, without exception, are most pleasing to the ear, and form a blissful chorus.

Woodpeckers and Hummers

Much less than an island is enough to serve as a resting post for migratory birds. As anyone with some experience in navigating Antillean waters will know, exhausted birds at times land on just any kind of floating craft, and rest their mus-

Ciénaga de Zapata. *Zapata swamp.* Matanzas.

pilotos profesionales, les ha permitido el acceso a lo mejor de dos mundos. Ellas inauguraron, hace decenas de millones de años, el trasiego lujoso de algunos humanos de hoy. Por su ubicación entre dos masas continentales, al norte y al sur, Cuba ha sido, desde su aparición sobre la superficie del océano, testigo de este intenso movimiento de las aves.

De las 355 especies de aves que han sido detectadas en Cuba, 124 llegan cada año, después de haberse reproducido en el continente norteño, o de haber nacido allá. Atraviesan el mar sobre todo durante la noche, sin comer ni beber, apenas con la energía de la capa de grasa acumulada bajo

culature for some hours before resuming their own course.

A multitude of birds take advantage each year of the possibility of living a perpetual summer: a fresh one in the northern continent, and a slightly warmer one far south. The wings, and a capacity for navigation envied by professional pilots, have given them access to the best of two worlds. Tens of millions of years back they inaugurated, in fact, the luxurious intercontinental comings-and-goings practiced today by some humans. In between two north-to-south-oriented continental masses, Cuba has been, since its emergence from under the ocean, wit-

Canario de manglar. *Yellow warbler.* Cayo Coco.

la piel antes del despegue. Cada año los primeros viajeros aterrizan ya en la segunda mitad de julio, pero la mayoría llega entre septiembre y octubre. Entran por toda la costa norte de la isla, aunque el grueso lo hace por el tercio central, nadie sabe si por seguir un buen rumbo desde la partida, o por haber utilizado como referencia (o como estación de reabastecimiento) la salpicadura de islas bahamenses.

Los patos de la Florida, que he visto en ocasiones desde una embarcación, amarizan en bandadas numerosas uno o dos kilómetros delante de la costa, y reposan sobre las olas al menos algunas horas antes de adentrarse a la isla. También he visto llegar a algunas bijiritas, poco antes de la salida del sol, volando a pocos metros de la superficie. Vienen como por goteo, y al parecer los individuos de cada grupo se mantienen en contacto mediante la repetición regular de voces agudas.

Entre las aves que se conocen en Cuba sólo gracias a la visita invernal están el halcón peregrino, la gallinuela oscura, el gallego real y la golondrina de árboles. Los migrantes más masivos son 4 decenas de especies de vireos y bijiritas, de tallas y tintes demasiado homogéneos para el ojo inexperto. Esto, acoplado a la congénita

ness of intense avian traffic.

Of Cuba's 355 species of birds reported so far, as many as 124 arrive each autumn after nesting or hatching on the northern continent. Most cross the sea at night, nonstop, without a drop of water or a bit of food, with but the energy contained in the layer of fat accumulated under the skin before takeoff. Each year the voyagers begin to arrive by the second week of July, but most of them show up between September and October. They fly in through all of the north coast, though the majority emerge through the central portion of the island, no one knows if it is because of following a perfect course from the start, or because of utilizing the scattering of Bahaman islands as guideposts (or as re-fueling stations).

Numerous flocks of blue-winged teals, which I have occasionally seen flying in from a boat, alight on the water a mile or so before reaching the coast, and rest upon the waves for hours before resuming their course. I have also observed incoming warblers, an hour or so before sunrise, flying just a few feet over the surface. They sort of drip in, individuals apparently keeping in contact by the regular repetition of their high-pitched twitterings.

Many birds, like the peregrine falcon, sora, ring-billed gull and tree swallow, are known in Cuba only during their winter visits. The most massive migrants are some 40 species of warblers and vireos, whose sizes and colors are far too homogenous for the uninitiated eye. These characteristics are accompanied by

intranquilidad, deja la discriminación de sus especies para el placer de los más perseverantes observadores de aves. En la Ciénaga de Zapata se pueden encontrar la mayoría de las especies de bijiritas; y en los pinares orientales se refugia con éxito la mayor parte de la población de la bijirita azul de garganta negra.

Unas pocas especies de bijiritas tienen poblaciones residentes, que se reproducen en Cuba y jamás hacen el vuelo hacia el norte. Entre ellas está el canario de manglar y, excepcionalmente, la candelita. Hace varios millones de años algunas especies iniciaron de igual manera su residencia en el archipiélago, y con el tiempo se independizaron por completo de sus hermanas migratorias, transformándose en especies nuevas. Tal es el caso del juan chiví, la chillina y el pechero, de ancestros sin duda norteños.

Otras especies migratorias, como el garcilote, el cernícalo, el títere sabanero y la paloma rabiche, también tienen poblaciones criollas, que se reproducen en el archipiélago y jamás vuelan sobre el mar. De algunas de ellas, los individuos migratorios regresan con suficiente religiosidad como para permitir la evolución de diferencias pequeñas entre las dos poblaciones, que los ornitólogos catalogan como razas o subespecies. Tal es el caso del cernícalo y de la gallinuela de agua dulce.

Algunas poblaciones de aves se separaron de las continentales en época más temprana, y de forma más definitiva. Unas se desarrollaron a partir de especies migrantes del norte, pero otras lo hicieron a partir de aves centro y suramericanas. Estas últimas quizás fueron arrancadas de

congenital restlessness, thus leaving species discrimination for the pleasure of only the most persevering birdwatchers. Most warbler and vireo species can be found in Zapata Swamp; while a large part of the population of the black-throated blue warbler spends the winter in the pine forests of the island's eastern mountain ranges.

A few species of warblers have resident populations, which reproduce in Cuba and never fly north. Among them is the yellow warbler and, exceptionally, the redstart. Some million years back there were warblers that initiated their residence in the archipelago in a similar manner, and eventually separated from their migratory sisters, evolving into different species. Such is the case of the Cuban vireo, the yellow-headed warbler and the oriente warbler, all of which have, no doubt, northern ancestors.

Other migratory species, like the great blue heron, the kestrel, the killdeer and the mourning dove, also have locally reproducing populations that never make overseas flights. In some such birds migratory individuals return to North America with sufficient regularity as to allow for small differences to build up among the locally nesting ones. In such a case are the kestrel and king rail, where ornithologists have described distinct local races or subspecies.

Other bird populations separated from their continental fellows at an earlier date, or in a more definite way. Some of these developed from species migrating from the north, but others did so from birds coming in from Central and South

sus selvas por tormentas mayores y compulsadas a volar sobre el mar. Otra alternativa es que hayan llegado a la Cuba ancestral cuando esta estaba conectada al continente por una franja de tierra; o cuando la propia isla se encontraba mucho más cerca de Centroamérica. Cualquiera que haya sido el escenario, hijas de aquellos acontecimientos hay 25 especies de aves que Cuba tiene en exclusiva, parte respetable de las 155 endémicas esparcidas por las Antillas.

Los tódidos podrían ser el emblema ornitológico de las Antillas. Cada una de las Antillas Mayores es casa de una especie de estas avecillas; La Española, la única excepción, tiene dos. Para las personas no familiarizadas con las aves, los tódidos pueden ser confundidos con un colibrí, pues tienen en común la talla, el pico largo y el colorido brillante. En el día de hoy no vive ningún otro tódido fuera de Las Antillas, y hasta hace pocos años se pensaba que estas aves eran una producción evolutiva local. Pero unos veinte años atrás, sin embargo, apareció en los Estados Unidos el fósil de un tódido, de nada menos que 30 millones de años de antigüedad. Queda ahora la duda de si esta familia de aves se originó en las islas y luego invadió el continente, o si fue al revés.

Al tódido cubano se le conoce por cartacuba, y es un juguete de 10 centímetros de longitud, la tercera parte de los cuales corresponde al pico y a la cola. Por detrás está coloreado de vivísimo verde; por delante tiene los tintes de medio arco iris. Vive en todo el archipiélago, y, aunque nunca es abundante, se le puede encontrar en casi cualquier bosque, incluidos los de

America. These latter ones were perhaps torn away from their jungles by huge storms that also forced upon them the overseas flight. Another alternative is that these birds simply lived in ancestral Cuba at a time when the island was but the tip of a long strip of land connected to South America, or when it was much closer to Central America. Whatever the actual scenario was, one of its consequences are the 25 exclusive bird species present in today's Cuba, a good share of the 155 endemic birds scattered across the West Indies.

The todies could be the ornithological flag of the Antillean Islands. Each Greater Antillean island is home of at least one of these small birds; Hispaniola, the exception, holds two. People unfamiliar with the local birds could confuse the todies with hummingbirds. They share the same size, long bill and brilliant colors. No other species of tody lives today outside the West Indies, and it was thought that these birds were a product of local evolution. But some 20 years ago the fossil of a tody was found in Wisconsin, USA, and its estimated age was no less than 30 million years. A doubt is now flying high: did these birds originate on the islands and later invade the continent, or was it the other way around?

The Cuban tody is known on the island as *cartacuba*, and is nearly like a 4-inch toy, one third of whose length corresponds to bill and tail. The back is brilliant green, while chest and belly show off a whole rainbow of colors. The *cartacuba* lives throughout the archipelago and, though never abundant, it can be found in

algunos cayos mayores.

La cartacuba pasa la mayor parte del tiempo inmóvil entre el follaje, y por eso no es fácil encontrarla, ni siquiera después de haber escuchado su singular martilleo. Es una persistente devoradora de insectos pequeños, y todo el tiempo inspecciona con la vista las ramas sobre su cabeza; en menos de un minuto se la ve revolotear, capturar algún insecto en el envés de una hoja y regresar a otra percha cercana. Anida en los barrancos de tierra (en Cayo Coco lo hace en los de pura arena), donde a golpe de pico abre un túnel estrecho y profundo, al final del cual pone sus 3 ó 4 huevos. Los pichones disfrutan la mayor frecuencia alimentaria entre todas las aves; los padres traen a cada uno ¡hasta 140 insectos al día!

La más bella de las palomas antillanas, la paloma perdiz, vive en Cuba y la Isla de la Juventud. Es hermana gemela de otra que vivió en el sur de la Florida hasta hace alrededor de un siglo, ya extirpada. Hoy rara, la paloma perdiz busca su alimento e incluso anida en el muy sombreado suelo de los montes tupidos. Al caminar por estos lugares, a veces nos sorprende un ruidoso golpeteo de alas, y sólo alcanzamos a ver el bulto volador pardo rojizo, y un centelleo como de zafiros. El sonido, en efecto, lo produce el choque de las alas. Pero no es consecuencia simple de la mecánica de vuelo, sino resultado de un esfuerzo especial, cuyo propósito es alertar a sus semejantes acerca del peligro que la compulsó a despegar. Su corto y bisilábico reclamo tiene indudables propiedades ventrílocuas,

◀ Cartacuba. *Cuban tody.* Cayo Coco.

almost any forest, including those of some larger keys.

The Cuban tody spends most of its time perched among the leafage, and is therefore not easy to spot, even after listening to its singular chatter. A persistent insect-catcher, this bird searches the foliage above constantly; and in less than one minute it will shoot up in a flurry of wingbeats, catch a critter from under a leaf, and perch on some other nearby twig. Nesting takes place in narrow burrows dug out in soil banks (on Cayo Coco they dig them out in pure sand banks). At the end of these tunnels they lay 3-4 eggs. The *cartacuba* chicks enjoy the highest feeding frequency among world birds: parents bring each offspring up to 140 insects per day!

The handsomest of Antillean pigeons is the blue-headed quail dove, living on the main island and the Isle of Youth. An almost identical bird, perhaps of another species, lived in southern Florida until about a century back. The blue-headed quail dove, a rarity nowadays, finds its food on the shady ground of dense forests. While walking through these, we are at times surprised by a noisy clapping of wings, and as a rule only manage to catch a glimpse of a rich-brown-with-a-spark-of-blue airborne bulk. The sound comes from the wings clashing against each other; not a simple consequence of flight mechanics, but the result of a special effort from the bird, one meant to alert nearby partners of whatever danger caused it to fly away. The short, two-syllable call of the blue-headed quail dove has undoubted ventriloquial qualities,

que desorientan con eficacia a quien intenta precisar su posición. Esto quizás explique por qué son mansas.

Entre las aves únicas del archipiélago están dos lechucitas tamaño bolsillo: el sijú cotunto y sijú platanero. Ambas habitan la isla entera y la Isla de la Juventud, y no son raras. Las dos anidan en agujeros de los árboles, casi siempre de palmas, sobre todo en aquellos fabricados, utilizados y ya abandonados por los pájaros carpinteros.

Al sijú cotunto, sólo se le ve de casualidad: en la noche y con la ayuda de una buena linterna; o de día, si nos recostamos a la palma hueca indicada (saldrían disparados al instante . . .). La otra, el sijú platanero, es por entero diurna. Su "gremio" alimentario es homólogo al del cernícalo: devorador de lagartijas. Pero en realidad no se interfieren en absoluto; el último caza en sabanas y otros ambientes abiertos, mientras que el sijú platanero lo hace en bosques y arboledas.

El sijú platanero se localiza con facilidad después de escuchar su bien alta y extravagante voz, que emite varias veces durante cada hora para reafirmar su territorio de caza. Se trata de unos 15 chiflidos consecutivos que aumentan de tono al tiempo que se reduce gradualmente el intervalo entre ellos. Del primer chiflido al siguiente transcurre un segundo entero, mientras que los últimos 5 a 7 chiflidos están contenidos en el segundo final.

Otra ave que pone sus huevos en nidos viejos de pájaros carpinteros es el tocororo, el Ave Nacional de Cuba. La elección fue excelente: es endémico, se le encuentra por todo el territorio y, gracias a la cola con silueta de pagoda china, es por completo

which efficiently disorient people trying to pinpoint their location. This probably explains why these pigeons are so tame.

Among the birds unique to the archipelago are two pocket-sized owls, the

Sijü platanero. *Cuban pygmy owl.* Soplillar, Ciénaga de Zapata, Matanzas.

bare-legged owl and Cuban pygmy owl. They both live across the main island and the Isle of Youth, and are not rarities. These birds nest in tree-holes, usually on palms, that have already been used and abandoned by woodpeckers.

The bare-legged owl is only seen by chance: at night, with the aid of a powerful flashlight; or during the day, if you carelessly lean on the right hollow palm (they shoot out immediately!). The Cuban pygmy owl, on the contrary, is entirely diurnal. Its dietary penchant is homologous to that of the kestrel: lizard-catcher. Life, and not chance, has

inconfundible. A esto se le debe añadir la coloración, protectora por el dorso con verde y azul metálicos y oscuros, y de escándalo festivo por delante, con parches llamativos y contrastantes. Los ojos, rojo

Tocororo. *Cuban trogon.* Soplillar, Ciénaga de Zapata, Matanzas.

brillante, destacan el doble por estar envueltos en una máscara negra. Se alimenta de frutas e insectos, y tiende a pasar la mayor parte del día posado en ramas altas, bajo la sombra de otras. A pesar de los tintes alegres, lo encontramos en los bosques gracias a su reclamo, *to-co-ro-ro*, que repite con insistencia.

Un total de 6 especies de pájaros carpinteros se buscan la vida en los bosques cubanos. Dos de ellos, el carpintero verde y el churroso, son endémicos; otro, el llamado carpintero de paso, nos visita en invierno. Las 3 especies restantes son compartidas con tierras aledañas. O lo fueron.

Entre estos últimos pájaros carpinteros está el real, que hoy sobrevive sólo en Cuba. Elegante, penachudo e inmenso, este pájaro vivió, hasta hace algunos siglos, en toda Cuba, y también por todo el sureste de los Estados Unidos. En el continente se extinguió hace ya algunas décadas, aunque la declaración oficial de su desaparición definitiva ocurrió en 1994. El

arranged that they do not interfere with each other; the kestrel hunts in open landscapes, while the owl prefers to pursue its prey in areas more densely packed with trees.

The Cuban pygmy owl can be found easily after listening to its loud and extravagant shrill, produced a few times every hour to affirm hunting rights over the territory. It is composed of about 15 consecutive short whistles that rise in tone while their intervals shorten. Perhaps one whole second passes between the first and second sounds, while the last 5 to 7 of them all occur within the last second.

Another bird that nests in holes abandoned by woodpeckers is the national bird, the *tocororo* or Cuban trogon. This was a fortunate pick: the animal is endemic, is found throughout the main island, and, thanks to its singularly shaped tail feathers, unmistakable. In addition it has the benefit of beautiful colors: a protective dark iridescent green back, and a festive scandal on the front, with eye-catching patches of white and red. When hit by sunlight, the brilliant red eyes actually glitter against a black mask. The Cuban trogon feeds on fruits and insects, and tends to use up most of the day just sitting in high shady places. In spite of the happy colors, it is usually found only after listening to its call, *to-co-ro-ro*, which is often repeated.

A total of 6 species of woodpeckers earn their living in Cuban forests. Two of them, the Cuban green woodpecker and the Fernandina's woodpecker, are endemic. Another species, the yellow-bellied

pájaro se alimentaba de las más grandes larvas de los mayores escarabajos, que para crecer mastican la madera de los árboles viejos. Al desaparecer los bosques vírgenes, el pájaro quedó sin alimento.

La población cubana del carpintero real pende, casi literalmente, de un hilo. A mediados de la década pasada un guía local descubrió un pájaro carpintero real en sus caminatas por la zona de Ojito de Agua, en el extremo oeste de las Cuchillas del Toa, justo en la frontera entre las provincias de Holguín y Guantánamo. En los años siguientes se organizaron varias expediciones a la región en las que participaron biólogos

Carpintero jabado.
Cuban red-bellied woodpecker.
Ciénaga de Zapata, Matanzas.

cubanos y estadounidenses. Al menos un macho y una hembra fueron detectados, lo que confirmó la supervivencia de la especie. Ninguna de estas partidas, sin embargo, tuvo la dicha de encontrar un nido activo, ni de fotografiar al ave. En cada aparición—y fueron en total cerca de una decena—los pájaros se mantenían a la vista sólo unos segundos, demasiado pocos para sobreponerse de la sorpresa, apuntar la

sapsucker, is a winter visitor. The three remaining species are shared with neighboring lands. Or were shared.

Among these is the ivory-billed woodpecker, today surviving only in Cuba. This elegant, high-crested and large bird lived, until a few centuries back, throughout the main island and across the southeastern United States. On the continent it has not been observed by a reliable source for the last several decades, although the official demise of the species was made firm only in 1994. The bird vanished along with the old growth forests, for lack of food.

The Cuban population survives, almost literally, on a thread. In the mid-'80s a local guide discovered an ivory-billed woodpecker on his errands near the region of Ojito de Agua, at the westernmost part of Cuchillas del Toa mountain range, just on the border between the provinces of Holguín and Guantánamo. In the following years several expeditions were organized to the area, in which biologists from both Cuba and the US took part. At least one male and one female bird were spotted, something that proved the survival of this rare bird. None of the parties, though, was ever lucky enough to find an active nest, nor to take a photograph of the living creature. Each time the birds showed up (always singly, but about a dozen times), they stayed in view just a few seconds, too little to overcome surprise, point the cameras, focus and shoot. In fact, no one ever got beyond the first of these steps.

I was fortunate to enlist on four ivory-billed expeditions. In the last one,

Carpintero verde.
Cuban green woodpecker. Cayo Coco.

cámara hasta tenerlos en el visor, enfocar y disparar.

Tuve la suerte de enrolarme en cuatro de las expediciones en busca del carpintero real. En la última, en 1991, pasamos cinco semanas sin ver una sola casa, poste de electricidad, cerca, sembrado, ni vehículo de motor. Disfruté mucho las montañas vestidas de verde, la multitud de animales exclusivos de la serranía, el aire limpio, saturado del aroma de aquellos pinares en apariencia interminables, los largos recorridos por trillos impropios para caballos o por el curso mismo de arroyos limpísimos. Pero nunca tuve la suerte de ver el pájaro. Sí encontré, con tristeza, varios árboles muy viejos, con agujeros grandes, taladrados por carpinteros reales, donde seguro estas aves habían dormido, y quizás hasta

in 1991, we spent five weeks without seeing a single house, electricity post, fence, plantation or motor vehicle. I tremendously enjoyed the greenery and multitude of animals endemic to those mountains, the clean air saturated with the fragrance of interminable pine woods, and the many-hours-long walks along footpaths improper for mules, or right along the course of crystal-watered creeks. But I was never fortunate to see the bird. I did find, sadly, some very old trees with oversized holes up high in the tallest branches. Long time ago, ivory-bills had surely slept and maybe even nested in them.

In 1993 another lengthy expedition was made to those mountains. No one spotted a bird, and the organizers, somewhat disheartened, hastened to declare the absolute demise of the species. On the following year, however, another local guide sighted a bird . . .

~ ~ ~

Zapata Swamp is a truly amphibian environment, and a real Eden for birdwatchers. The peninsula has an area of about 1740 square miles, most of it covered with 8-foot tall sawgrass and cattail. Disseminated here and there are puddles and pools, zones where immersion-resistant palms grow by the hundreds, and patches of higher terrain crowded with different kinds of trees. Additionally, a huge wedge-shaped area of forest crosses the larger part of the peninsula from Maneadero to past Playa Larga.

With the onset of the rainy season (usually beginning in May and lasting

anidado, algún tiempo atrás.

En 1993 se realizó otra expedición, larga, a las mismas montañas orientales. No encontraron un sólo pájaro, y los conductores de la misma, quizás algo decepcionados, se apresuraron en anunciar la rotunda desaparición de la especie. Al año siguiente, sin embargo, otro de los guías locales dio con un ejemplar.

~ ~ ~

La Ciénaga de Zapata, en la península del mismo nombre, es un ambiente anfibio, y un verdadero edén para los observadores de aves. Tiene una superficie de unos 4.500 km^2, la mayor parte de los cuales está cubierta por las hierbas llamadas cortadera y macío, de hasta 2,5 metros de altura. Aquí y allá hay charcos de agua, zonas donde abundan palmeras resistentes a la inmersión parcial, y parches de suelo algo elevado, de uno o más centenares de metros de diámetro, donde crecen bosquecillos frondosos. Una cuña boscosa de varios kilómetros de ancho atraviesa la mayor parte de la península, desde Maneadero hasta más allá de Playa larga.

A consecuencia de las lluvias, Zapata se inunda todos los años entre mayo y septiembre. Sus bosques, herbazales y lagunas sirven de refugio a innumerables animales, tanto terrestres como acuáticos: cocodrilos, manatíes, jutías, majáes de Santamaría, chipojos . . . Se conocen allí un total de 190 especies de aves, desde guaraguaos (gavilanes) hasta cotorras, zunzunes, lechuzas y patos. Aquí se pueden encontrar 23 de las 25 especies endémicas que habitan el archipiélago.

▲ Zunzún.
▶ *Cuban emerald hummingbird.*
Santo Tomás, Ciénaga de Zapata, Matanzas.

Las dos páginas anteriores/*previous two pages:* Bosque en el límite de Ciénaga de Zapata. *Forest at the northern limit of Zapata Swamp.* Matanzas.

until September), Zapata turns into a real swamp. Its forests, grass fields and lagoons serve as refuge to a great many animals, terrestrial and aquatic: crocodiles, manatees, hutias, Cuban boa, knight anoles . . . . Plus a total of 190 bird species, from hawks to parrots, hummingbirds, owls and ducks; 23 of the 25 species endemic to the archipelago can be found within the peninsula.

Three of the birds exclusive of Cuba were discovered in Zapata in the year 1926: the Zapata sparrow, Zapata wren and Zapata rail. All 3 species are the result of evolutionary change upon populations of migratory species (a sparrow, a wren and a rail), that millions of years ago opted for a sedentary lifestyle.

Of limited flight capabilities, the

Tres de las aves exclusivas de Cuba fueron descubiertas en 1926 en Zapata: el cabrerito de la ciénaga, la fermina y la gallinuela de Santo Tomás. Las 3 especies son el resultado de la derivación evolutiva de aves migratorias que hace algunos millones de años optaron por la vida sedentaria. Descienden de un gorrión, un troglodita y una gallinuela, respectivamente.

De vuelo muy limitado, el cabrerito encuentra su sustento sobre todo en el suelo, rebuscando en la base de las altas macollas. Tal como se espera de un gorrión, su dieta allí es de semillas, en particular las de la propia hierba cortadera. Durante la temporada de lluvias un caracol acuático deposita sus huevos en la base de los tallitos, justo por encima del nivel del agua.

Zapata sparrow finds its food mostly on the ground, searching among the bases of the sawgrass and cattail clusters. As expected from a sparrow, it lives mostly upon seeds, mainly those of the much abundant gramineous plants. During the rainy season a water snail glues its egg to the grass stalks, just above the water level. This habit, obviously developed to elude water predators, has put a great amount of high-protein food in the bills of the Zapata sparrow.

Although originally thought to be a species exclusive of this swamp, the Zapata sparrow was discovered three decades later in the most unexpected of environments: the desertic strip of coast east of Guantánamo Bay. Of all places, the "swamp bird" showed up amongst a

Este hábito, desarrollado sin duda para eludir depredadores acuáticos, pone al alcance del cabrerito una abundante cantidad de alimento proteico.

Aunque en un principio se creyó un ave estricta de la región, el cabrerito fue hallado, tres décadas después, en el más inesperado de los ambientes: la vegetación costera de la desértica franja de la costa al este de la bahía de Guantánamo. En aquel enmarañado desorden de espinas que sólo de rareza conocen la lluvia, se le ha visto picoteando los frutos de los cactos. Para mayor sorpresa aún, un grupo de ornitólogos descubrió, hace poco, cabreritos "de la ciénaga" en otro ambiente extraño: Cayo Coco. Y aquí no sólo abundan, sino que habitan por igual manglares, bosques y las colonias de miraguano.

La fermina y la gallinuela de Santo Tomás sí son exclusivas de Zapata (se conoce por restos fósiles que la gallinuela convivió con los aborígenes en la Ciénaga de Lanier, Isla de la Juventud). Ambas habitan el extenso herbazal salpicado de árboles menores, al norte del poblado de Santo Tomás. Al igual que todas las trogloditas, la fermina se alimenta de insectos. Es pequeña, de plumaje poco vistoso, muy inquieta, y hoy día bastante rara. Pero con algo de suerte y una reproductora de sonido con una grabación de su propio canto, se la puede atraer. Siguiendo la tradición familiar, la fermina acude rápido al equipo de sonido, pues no admite cerca, ni a la vista ni al oído, a otros individuos de su especie. Mientras el equipo esté reproduciendo, se mantendrá a pocos metros, de seguro con el fin de expulsar del territorio al competidor imaginado. Clasifica entre

mess of wiry-looking, long-spined plants that witness rainfall but a couple of dozen times a year, and never in large quantities; it has been seen feeding there upon the brightly colored cacti fruits. As big a surprise was the discovery, a few years back, of a population of the Zapata sparrow in another odd environment: Cayo Coco. Here the species not only abounds, but thrives equally well in mangroves, forests and palmetto stands.

So far, the Zapata wren and Zapata rail have proven to be endemic to the swamp (fossils of this rail show that the species coexisted with the aborigines in Lanier Swamp, Isle of Youth). Both bird species live north of the village of Santo Tomás, in the extensive grass fields sparsely mottled with small-sized trees. Like other wrens, the *fermina* (the common name given by ornithologists) feeds on insects. It is a small bird, of a most inconspicuous plumage, totally restless, and extremely rare. However, with a playback audio system, a recording of the bird's voice, and a little luck, the chances of seeing this bird are considerably better. Following a firm, belligerent family tradition, this wren flies immediately to the sound of the recording: it does not tolerate the nearby presence of others of its kind. If the audio system is kept going for, say, five minutes every half an hour, the Zapata wren will stay around for hours, ready to expel the imagined competitor from its territory. Its song, a clear and loud warbling, is among the five most outstanding among Cuban birds.

The Zapata rail lives in the same environment as the wren. A lousy flier, it

las 5 aves cubanas de canto más florido.

La gallinuela de Santo Tomás vive en el mismo ambiente que la fermina. Levanta el vuelo sólo de excepción, pues es pésima voladora; pero es hábil en la carrera por entre el agigantado herbazal, y en extremo huidiza. En los 70 años transcurridos desde su descubrimiento, ha sido observada por un puñado muy reducido de profesionales, y cada vez por espacio de unos pocos segundos. El ornitólogo más experimentado del país, Orlando Garrido, quien ha visitado la zona muchas decenas de veces, jamás la ha visto. Tampoco existe foto alguna del animal en vida, al menos lo suficientemente buena para reconocer la especie; es casi un fantasma. Para alimentar el mito, en ocasiones deja escuchar las ráfagas de su curioso tamborileo vocal.

takes to the wing only to cross narrow water channels; but it is well equipped for racing through the spaces between the sawgrass tussocks, and has carried shyness to new, annoying limits. In the 70 years passed since its discovery, this bird has only been observed by a handful of professionals, each time for but a few seconds. Orlando Garrido, the most experienced ornithologist on the island, has visited the area dozens of times, and never seen the—apparently—ultra-optical bird. There are, of course, no photographs of the living animal (less so in the wild); at least none good enough for positive identification. The bird is a phantom, and feeds the myth by occasionally allowing some parties to listen to its curious drumming.

~ ~ ~

Las costas y los cayos, incluso los más pequeños e inhóspitos, también están poblados de aves. La sustancia de la inmensa mayoría de los cayos menores es puro mangle y fango. Pero los mayores, a pesar de su llanura, soportan un inventario vegetal de centenares de especies, capaces de vivir en suelos de casi puro mineral y de resistir grandes concentraciones de sales.

Las restingas fangosas y arenosas que rodean cada cayo, pulsan con las mareas entre sequedad e inundación. Este ambiente lo pueblan pájaros de patas largas, que les permiten vadear los bajos fondos. Carnívoros todos, tienen picos especializados en alcanzar presas muy diversas, desde larvas microscópicas hasta caballerotes de 200 gramos.

The coast and keys, even the smallest and most insignificant of them, are also populated with birds. The substance of most of the keys is pure mangrove and mud. But the larger ones, regardless of being mostly flat, harbor a varied botanical inventory of hundreds of species, capable of living in impoverished "soils" of practically pure sand, and of resisting high concentrations of salt.

The muddy and sandy flats surrounding each key alternate periodically between dryness and flooding. This environment is populated with long-legged birds that wade the shallows. Most of these birds are carnivorous, and have bills specialized in obtaining a diversity of prey species, from microscopic larvae to half-

Los de menor tamaño, zarapicos y frailecillos, sobrepasan las tres decenas de especies y son, en su mayoría, migratorios. En concordancia con sus vidas ajetreadas y a la vista de todo depredador, visten plumajes sobrios, con manchas y marcas en moderados grises y pardos. La menor de estas aves, el zarapiquito, es algo más chica que un gorrión, y por su tamaño limita su área de caza a los afloramientos de fango y orillas de aguas muy tranquilas. Entre las mayores está el zarapico pico cimitarra chico, un anidante ártico del peso de una paloma rabiche. Su pico, pinza larga y delicada, le permite hurgar hondo en el fango en busca de cangrejos violinistas.

Entre las vadeadoras siguen en tamaño el coco blanco, cuya dieta quizás coincida en parte con la de los zarapicos mayores, y las muy piscívoras garzas, de las cuales hay una decena de especies. Las garzas pescan con tácticas de acecho que requieren mucha paciencia; tanto más cuanto mayor es la especie. El aguaitacaimán, la garza azul y la real lanzan sus agudos picos a través del agua con relativa ligereza; pero la efectividad de estos "disparos" queda por debajo de 25 por ciento. El colmo de la paciencia está representado por el altísimo garcilote, capaz de permanecer largo rato con el cuerpo como congelado, en una misma posición, a la espera de la siguiente señal de vida de un pez. No es raro que entre la detección y captura de una presa transcurran decenas de minutos. Su producción de picotazos certeros, sin embargo, se acerca a 100 por ciento.

Las estrellas entre las aves vadeadoras, y al mismo tiempo las de mayor talla, son la sebiya y el flamenco, también las más

pound mangrove snappers.

The smaller birds, like plovers and sandpipers, include over three dozen species and are mostly migratory. In agreement with their hasty lives, completely in the open and in perfect view of potential predators, they all have subdued plumage coloration, conservatively marked in brown, gray or black. The smallest is the least sandpiper, which is lighter than a house sparrow and restricts its feeding areas to humid mud banks and quiet, windless shores. Among the largest is the whimbrel, an Arctic-nesting voyager about the size of a mourning dove, subtracting the long bill and legs. The thin bill acts like a pair of long pincers, and allows fetching small fiddler crabs from deep inside their burrows.

Following in size among the waders are the white ibis, with a diet perhaps partially overlapping that of the larger sandpipers, and the 10 species of herons. These are mostly fish catchers, their success revolving upon tactics that demand a great deal of patience, more of it the greater the bird. The green-backed heron, little blue heron and snowy egret fling their bill across the water without much thought; but their average fishing success is under 25 percent. The paradigm of patience is represented by the very tall great blue heron, capable of "freezing" its body for extended periods of time, in wait of the next sign of life of a fish hidden among the bottom grasses. Quite commonly it takes this species tens of minutes between first sighting a prey from a distance, approaching it, and finally seizing it. But its production of faultless strikes is

afectadas por la actividad humana. Antaño Cuba sostenía al menos 10 colonias de anidación de flamencos, y la especie abundaba en toda la cayería. Hoy quedan en el grupo insular Canarreos apenas algunas decenas de estas aves. En los bajos de La Salina (en la orilla suroeste de Bahía de Cochinos) y los golfos de Ana María y Guacanayabo habitan unos pocos centenares. La mayor concentración, de varios miles, vive en la amenazada cayería Sabana-Camagüey y la costa aledaña, y anidan en Cayo Coco y en la desembo-

Sebiyas. ▲ *Roseate spoonbills.* Cayo Coco.

◀ Sebiya. *Roseate spoonbill.* La Salina, Matanzas.

close to 100 percent.

The stars among the waders, and at the same time the largest of them, are the roseate spoonbill and the greater flamingo. They are also the ones most affected by human activity. A few centuries back the archipelago sustained at least 10 breeding colonies of the greater flamingo, and these birds were abundant throughout the keys. Today but a few dozen birds remain along the southwestern group of keys (Los Canarreos). At the flats of La Salina (on the western shore of the Bay of Pigs) and the gulfs of Ana María and Guacanayabo the populations are composed of a few hundred birds. The largest concentration, of several thousand, holds out between the seriously threatened group of keys of Sabana-Camagüey and the nearby coast, breeding in Cayo Coco and the mouth of Máximo River. They have survived until today thanks to the

cadura del río Máximo. Han sobrevivido hasta hoy por estar en zonas bajas y fangosas, de muy difícil acceso, pero su número ha disminuido notablemente en los últimos años.

En los cayos mayores vive el gavilán batista, especializado en desmantelar cangrejos de tierra, y el guincho. Este último sobrevuela las barreras coralinas, los canalizos y las lagunas, donde logra afincar con sus garras los peces que nadan justo bajo la superficie. En el interior de los cayos se observan con frecuencia zunzunes, pitirres abejeros, cernícalos, chichinguacos y la señorita de manglar.

~ ~ ~

Muchos cayos son de maternidad. Alcatraces, corúas y rabihorcados forman en los de mangle colonias de anidación. En los segmentos de manglar escogidos, la abundancia de heces, que mancha de blanco las hojas oscuras, hace crecer las plantas con especial vigor, permitiéndoles alcanzar mucho más altura que las circundantes.

Flamencos. *Greater flamingos.* La Salina. Ciénaga de Zapata, Matanzas.

Los pescadores cubanos, con su buen y crudo humor, reconocen una categoría especial de cayos: los raspados. Ganaron el

fact that this area has large expansions of very shallow muddy flats, but their numbers have notably diminished in the past few years.

The common black hawk, specialized in disassembling land crabs, and the osprey live in the larger keys. This latter bird of prey flies over the coral-studded barrier reefs, water channels and lagoons, where it drops talons-first into the water for fish swimming just beneath the surface. The salt-tolerant forests of the keys also hold an abundance of the Cuban emerald (a hummingbird), gray kingbird, Greater Antillean grackle and the northern waterthrush.

~ ~ ~

Many of the keys are maternity wards. The brown pelican, double-crested cormorant (which in Cuba never shows a double crest), and magnificent frigatebird all form colonies that breed upon the mangrove fronds. Those segments of mangrove shore selected by these birds are commonly painted white by the abundant droppings. This top-quality fertilizer also makes these particular trees grow with special vigor, and much taller than the surrounding mangrove stands.

The Cuban fishermen, with their excellent and crude humor, recognize a special category of keys, the scraped ones. The qualifier comes from their scarce and stumpy vegetation, as a rule never reaching knee-height. Their moderation is imposed by the anatomy of these keys, always long and narrow, and for being far too rocky; they are, essentially, fossil bar-

epíteto por la escasa vegetación, que apenas alcanza la altura de la rodilla. La limitación les está impuesta por su anatomía, larga y estrecha, y por ser muy rocosos; en esencia son arrecifes coralinos fósiles, víctimas algunos milenios atrás del descenso de las aguas. Ejemplos de ellos son los cayos llamados Ballenatos, Inglés, Oro, Sal y Trinchera, todos del grupo insular Los Canarreos. Ninguno ofrece agua dulce ni sombra; no hay una sola especie de ave que viva de manera permanente sobre ellos. Prueba de su inhospitalidad son los cadáveres diseminados de gallaretas azules que, tras aterrizar exhaustas, no encontraron en estos pedregales manera de recuperar sus energías. Reciben, sin embargo, la visita regular de muchas otras aves.

La misma pobreza que mata, conlleva la ausencia total de depredadores grandes. Esta condición hace de los cayos raspados el sitio perfecto para la anidación de aves que, siendo maestras absolutas de los vientos, se bastan para su sustento con lo extraído del mar. En mayo de cada año, así, estas tierras separadas se convierten en un bullicio de voces garrasposas; un revoloteo multitudinario de formas aerodinámicas obligatorias, todo en ellas punta y filo. Integran la fenomenal pajarera las gaviotas (rosada, de Sandwich, real, boba, monja y monja prieta), el galleguito y también el pájaro bobo. Cada cayo alberga hasta 6 especies, y el número total de aves alcanza varios millares.

Los primeros días son de festival aéreo. Algunos machos inician su acercamiento a las hembras con regalos de mucho brillo: pececillos atrapados en el océano abierto, golosinas que más parecen pendientes de

rier reefs, victimized a few millennia back by the lowering of sea level. Such is the case of the keys named Ballenatos, Inglés, Oro, Sal and Trinchera, all within the insular group Los Canarreos. None of them offers fresh water or the possibility of a shadow, and not a single bird species lives on them permanently. Proof of their lack of hospitality is the disseminated cadavers of purple gallinules that, after landing on them exhausted, never found a

Gavilán batista. *Common black hawk.*
Cayo Coco.

way to recuperate their energies. But these keys do receive the regular visit of many other birds.

The very poverty that kills, implies the total absence of larger predators. This condition makes the scraped keys an ideal place for breeding colonies of birds that, being masters of the winds, rely on food obtained from the sea. Every May, thus, these isolated pieces of land turn into a boisterous hodgepodge of compulsive aerodynamic forms, all of them pointed

puro platino. La mayor parte de las gaviotas se mantiene sobre el suelo, pero un buen número de ellas vuela y revuela con insistencia, las de cada especie emitiendo a intervalos su alarido característico. En medio de esta algarabía tienen lugar los vuelos nupciales, uno de los espectáculos naturales más impresionantes que se puedan presenciar. Las parejas de gaviota real, por ejemplo, inician el acto público con persecuciones y cruces de trayectorias, todo el tiempo repitiendo su *kej-kej . . . kej-kej-kej*.

A continuación uno de ellos—¿el macho?—comienza a volar en círculos muy anchos, a unos metros del suelo-mar; el otro le sigue a poca distancia. Después la pareja se eleva más y más, al tiempo que el círculo descrito se achica. Durante 1 a 2 minutos alcanzan alturas superiores a los 100 metros, y al final se alcanzan al tiempo que la espiral de vuelo—como la de los caracoles—se cierra sobre sí misma. En la cúspide misma quiebran las alas en una apretada V, y descienden perpendicularmente a velocidad de vértigo. Vuelan tan cerca que aparentan ser un sólo pájaro, y justo cuando el choque contra el cayo o el mar parece inevitable, la pareja feliz (¿alguien lo duda?) hace una curva elegante, y evita el mortal impacto. Sin perder la sincronización producen luego varias curvas más, todas ya a nivel del mar, hasta que se unen y mezclan nuevamente con su grupo.

Días después los cayos se convierten en lecho de huevos, y semanas después en pista de despegue de padres y críos. A algunas gaviotas, como la monja prieta, el vagabundeo por sobre las olas las llevará

Gaviota boba. *Brown noddy tern.*
Cayo Inglés

and sharp. The phenomenal aviaries are made up of seabirds: roseate tern, sandwich tern, royal tern, bridled tern, sooty tern, brown noddy, laughing gull and brown booby. Each of the keys holds up to 6 species, and the total number of birds may run into the thousands.

The first days are of aerial festival. Some male birds initiate their approach to females with the offering of shiny presents: tiny juvenile fish caught far out in the ocean, morsels with the looks of pure-platinum pendants. Most of the birds just stand on the ground, but a good many fly persistently over the others, those of each species producing their characteristic cries at intervals. Nuptial flights, one of the most impressive of all natural spectacles, take place in the midst of this turmoil. Pairs of, for example, royal tern, begin their open act with a hot pursuit and doggings, criss-crossing each other's trajectories. All that time they repeat a harsh *keh-*

hasta las costas de África. No tan caótico como aparenta, el mismo vagabundeo las traerá, para el siguiente mes de mayo, de regreso a este lado del Atlántico, a Cuba, y al mismo cayuelo donde nacieron.

~ ~ ~

Por la noche el cielo pertenece a los murciélagos. Cuba es casa de 27 especies, tres de ellos hoy en exclusiva. Una de las especies compartidas (con Bahamas) es el mariposa, que, con 2,5 gramos de peso y 20 centímetros de envergadura, es el segundo murciélago más pequeño del planeta. Sólo duerme en cuevas, pero como el archipiélago es en extremo cavernoso, habita toda la isla mayor y también la Isla de la Juventud. Caza su alimento, insectos, en dos períodos de menos de una hora, justo después de la puesta del sol y poco antes del amanecer. Su diseño es tal que para mantenerse en el aire bate las alas a una frecuencia muy alta, y al volar suena como propulsado por un motorcito eléctrico.

Otra especie de interés, recibe el nombre de murciélago de cuevas calientes. Para descansar durante su periplo nocturno, este murciélago se cuelga de cualquier saliente rocoso; durante el día, sin embargo, duerme exclusivamente en cavernas de entrada única y muy estrecha, por donde apenas cabe una persona. En Cuba se conocen más de medio centenar de estas cuevas, y en cada una se reúnen decenas y hasta centenares de miles de estos mamíferos voladores. El aire estancado y la enorme cantidad de animales se alían entonces para elevar la temperatura del recinto entero hasta 35°C e incluso 40°C.

keh . . . keh-keh-keh.

On the next step one of them—the male?—begins to fly in wide circles, just a few dozen feet over the key/sea; its partner follows a short distance behind. The pair then starts to gradually gain altitude, while the diameter of their trajectory slowly diminishes. In a couple of minutes both birds are several hundred feet above the ground. At a certain point, when they have reached the tip of the spiral coil, they bend their wings simultaneously, and vertically plummet towards the ground at sensational speed. They fly so close to one another that they appear to be a single bird. Just when a clash against key or sea seems inevitable, the happy couple (can anyone doubt it?) produces an elegant curve and avoids the mortal impact. Still in full synchrony, they later describe a few more curves, all at sea level, until finally rejoining and mixing with their group.

Days later the keys are sprinkled with eggs, and weeks later they turn into a take-off airfield for parents and fledglings. In their wanderings over the waves, some terns, like the sooty, will be carried to the coasts of Africa. Not as chaotic as they seem, those wanderings will bring them back, next May, to this side of the Atlantic, to Cuba, to precisely the same key where they were born.

~ ~ ~

At night the sky belongs to the bats. Cuba provides shelter and food to 27 species, three of them unique. One of the shared species of bats (with the Bahamas)

El caso pudiera convertirse en ejemplo clásico de cómo una especie "interactúa" con el ambiente y lo modifica a su favor; más apropiado sería llamarlo "murciélago *calentador* de cuevas". El murciélago de cuevas calientes mantiene una relación de fuerte interdependencia nada menos que con la muy criolla palma real; se alimenta de su abundante polen, y facilita, por otra parte, el traslado de los productos sexuales de una planta a otra.

Guatíveres y biajaibas

La fauna de agua dulce de Cuba, al igual que la de la mayoría de las islas del mundo, es pobre en número de especies. Un total de 60 especies de peces pueden encontrarse en ríos y lagunas, pero la mayor parte de ellas son especies marinas que, como la lisa, el sábalo y el robalo, invaden con frecuencia desde el mar. Otras, el joturo y el dajao, dos primos de la lisa que habitan los ríos pero desovan en el mar, aparecen en los catálogos de peces cubanos, pero son por lo general ignoradas en los tratados de peces marinos, y excluidas de las discusiones acerca de la fauna propia de las aguas dulces.

Los peces estrictos de agua dulce suman apenas 28 especies, la mayoría de las cuales (22) son endémicas. Entre ellos está el manjuarí, un carnívoro de talla mediana con boca, piel y alma como de cocodrilo, de estirpe vieja, y restringido a las ciénagas de Zapata y de Lanier. Siguen en tamaño 2 especies de biajacas, y 4 especies de peces por completo ciegos, adaptados a vivir en la perpetua y absoluta oscuridad de los sis-

is the butterfly bat, with slightly under 3 grams in weight: 160 of them would be needed to make a pound. Its wingspan is but 7½ inches, which makes it the second smallest bat in the world. This species sleeps only in caves, but since the archipelago is extremely cavernous, it lives across the main island and also on the Isle of Youth. The butterfly bat hunts insects in two night raids, each lasting less than one hour; just after sunset and immediately before sunrise. Its flight dynamics require a high frequency of wingbeats, and thus while airborne it produces a sound similar to that of a small electric motor.

Another interesting species is the Cuban hot caves bat. During the nighttime food excursions this bat often takes some time to rest, and may do so hanging on just about any rocky outcrop. But for the extended daytime sleep it only uses very special caves that have but a single and narrow entrance, so narrow, in fact, that people hardly can get through them. Cuba has over 50 such caves, and in them these flying mammals congregate by the thousands. The locked-up air and enormous amount of warm-blooded creatures then raises the inside temperature to an incredible 95°F, and in some cases even to 104°F. The combination of factors could be an excellent textbook case in which a species "interacts" with the environment to modify it to its own benefit; a more proper name for the bat would be cave heater bat. This bat also has a strong interdependent relationship with the royal palm. It feeds on the plant's abundant pollen and, in return, transfers the

temas de agua subterráneos. De interés grande pero exclusivo de quienes debaten el nacimiento y pasado remoto de las Antillas, les sigue un grupo de pececillos de menos de 10 centímetros de longitud. Ninguno viste traje rojo ni azul, y se parecen demasiado entre sí, pero pertenecen a una decena de géneros adicionales, tres de los cuales son exclusivos del archipiélago. Uno de estos pececillos, de apenas 8 centímetros de largo, lleva el nombre científico más patriótico, y redundante, imaginable: *Cubanichthys cubensis*. Significa pez cubano cubano.

Las 4 especies de peces ciegos, endémicas, son un producto muy local de la evolución, que en este caso no requirió traslado desde distancias mayores. Su ancestro fue un pez marino pequeño de estricta nocturnidad, poseedor de riñones que le permitieron el lujo de navegar las cavernas del subsuelo, cuyas aguas desembocaban directo en el mar. La abundancia de bocados crustáceos garantizó su supervivencia en el excepcional ambiente, y condujo, a lo largo de millones de años, a la degeneración casi total de los ojos, y la despigmentación casi total de la piel.

En varias casimbas naturales ubicadas al sur de Alquízar hay acceso directo a las aguas subterráneas, e iluminación solar. La cadena de agujeros está como escondida en un bosque, y cada casimba tiene unos 10 a 15 metros de diámetro y 4 a 5 metros de profundidad. Se desciende en cualquiera de ellas sin dificultad, y el fondo es seco, con hierbas y zarzas. A un costado, bajo una solapa de piedra, está el charco de agua fría y cristalina que alberga 2 especies de peces ciegos. Incluso sin mojarse los pies se

sexual products from one tree to the other.

Snappers and Conchs

The freshwater fauna of Cuba, like that of most world islands, has relatively few species. A total of 60 species of fish can be found in rivers and lagoons, but most of these are actually marine creatures which, like the mullet, tarpon and snook, frequently invade from the sea. Two other species related to the mullets, the small mountain mullet and the *joturo*, live in rivers and breed out in the sea. Their names are included in all catalogues of Cuban fishes, but are usually ignored when discussing marine or freshwater fishes.

The strictly freshwater fishes of Cuba add up to 28 species, most of which (22) are endemic. Among these is the Cuban garfish, a welter-weight predator with the mouth, skin and soul of a crocodile, of ancient lineage, and restricted to the swamps of Zapata and Lanier. It is followed in size by 2 species of cichlids and 4 species entirely blind, adapted to live in the perpetual and absolute darkness of underground water systems. Of great interest, but only to those debating the birth scenarios and remote past of the Antillean islands, are a group of about 10 species, all less than 4 inches long. None wears blue or red suits, and are confusingly alike, but belong to 10 different genera, three of them exclusive to this archipelago. One of them, a mere 3 inches of fish, has the most redundantly patriotic scien-

puede llegar a contar una decena de ellos, diseminados por el laberinto de piedra. La mayoría permanece inmóvil cerca de alguna pared o del fondo, y cuando avanzan lo hacen con el cuerpo rígido, mediante ondulaciones de las largas aletas del dorso y del vientre. Con un poco de paciencia se pueden descubrir, caminando por las paredes, camaroncillos translúcidos de largas antenas.

La estadística de los camarones de agua dulce acompaña a la de los peces de agua dulce: se conocen 27 especies, 11 de las cuales son exclusivas del archipiélago. La mayoría de estas últimas habitan también las aguas subterráneas y, al igual que los peces cavernícolas, han perdido en gran medida la visión y los pigmentos de la piel.

~ ~ ~

La llamada plataforma insular, o sea, la base rocosa de la isla mayor, ensancha hacia el mar frente a la mayor parte de la costa, distancias de hasta 80 kilómetros. En el límite externo de ese ensanchamiento hay por lo común una hilera de cayos. En las aguas interiores la transparencia es reducida y la profundidad escasa; los fondos, arenosos o fangosos. Las aguas que bordean la cara externa de los cayos, sin embargo, son límpidas, y sobre los fondos rocosos crecen corales en abundancia. Los dos ambientes poseen una fauna en verdad rica, y están entre los ecosistemas más productivos del mundo. Los habitan 723 peces diferentes; 38.228 crustáceos; 1.501 moluscos; unas 300 esponjas; 341 estrellas de mar, holoturias y erizos; 5 especies de tortugas marinas; el manatí y la tonina.

Pez ciego cubano. *Cuban blind fish.*
Alquízar, La Habana.

tific name imaginable: *Cubanichthys cubensis* (meaning Cuban Cuban fish).

The four blind fishes, all endemic, are a product of absolutely local evolution. In this case there was no need for the "seed-species" to bridge a gulf or sea. Their ancestor was right on the island's edge: a strictly nocturnal marine fish, with kidneys allowing the luxury of navigating into underground caverns, whose waters emptied directly into the ocean. Apparently the abundance of shrimp guaranteed the survival of these marine fishes; millions of years later their eyes had degenerated almost completely, and their skin lost all but traces of the original pigmentation.

South of Alquízar there is a chain of small natural depressions—sinkholes—each with direct access to underground water, and natural light. The holes are somewhat masked inside a tract of forest, each of them about 40 feet in diameter and 15 feet deep. All are similar: the bottom is easy to reach, and dry, with some grasses and shrubs. On a side, beneath a stony ledge, is the edge of a pool of crystal clear and—for Cuban standards—cold

Varias especies de ballenas, entre ellas el cachalote, visitan regularmente las aguas cubanas. Ni uno solo de estos animales, sin embargo, es endémico; habitan también las costas de islas y continentes vecinos.

En los llanos de poca profundidad domina una hierba marina llamada seiba, que hasta hace apenas unos siglos sirvió de pasto a innumerables tortugas verdes. Sobre sus hojas en forma de cinta crecen algas delicadas, y se asientan de por vida invertebrados minúsculos; otros se refugian en el tupido bosque o excavan guaridas a su sombra.

Nadar por sobre un seibadal extenso, o bucearlo con balones de aire comprimido, puede parecer muy aburrido. Como paisaje, su llanura absoluta no gana admiradores, y excluye toda posibilidad de "descolgarse" por una pared o de atravesar un túnel. Al comenzar a recorrerlo, sin embargo, comienzan a aparecer los más diversos animales: moluscos, erizos, estrellas de mar, esponjas, holoturias, corales, y también peces.

Diseminados por el extraño césped submarino hay cobos, caracoles inmensos que marcan su adultez curvando hacia afuera el borde de la concha. Otros moluscos de talla similar, los quincontes, crecen a saltos, y fabrican en cada etapa una cara plana, pulida y bellamente manchada, por cuya ranura estrecha el animal escurre su resbaloso cuerpo.

Los cobos se alimentan de las algas microscópicas que raspan de la superficie de las hojas de seiba. En los ejemplares más viejos, la concha se hace al menos 3 a 4 veces más gruesa, al tiempo que se desgasta el borde. La primera de estas caracterís-

water, that holds 2 species of blind fishes. Even without getting the feet wet, it is possible to count a dozen of them, dispersed throughout the karstic labyrinth. Most of them just remain motionless, suspended a few inches from the walls or bottom, and when they move, they do so with a rigid body, undulating the long fins on the back and belly. With a little patience, you can also discover, walking along the wall, tiny translucent shrimp with long antennae.

The statistics of freshwater shrimps accompanies that of freshwater fishes: 27 species are known, 11 of them exclusive of the archipelago. Most of the latter live in underground water systems and, like subterranean fishes, have lost both vision and pigments.

~ ~ ~

The so-called insular platform, that is, the rocky basal portion of the major island, widens under the sea up to 50 miles. At the outer limit of these shallows there is generally a chain of keys. The waters between the keys and the island are usually of reduced transparency and the bottom there is sandy or muddy. The waters on the outer-sea side of the keys, however, are transparent, and the bottoms crowded with corals. Both environments possess truly rich faunas, and are among the most biologically productive ecosystems on Earth. In all 723 species of fishes have been reported from Cuban salty waters, plus 38,228 crustaceans, 1501 mollusks, some 300 sponges, 341 starfishes, sea cucumbers and sea urchins,

ticas quizás los ponía fuera del alcance de la gran fuerza mandibular de quien fue su principal depredador, la hoy muy escasa caguama. Sin embargo, son presa frecuente de pulpos de un kilogramo de peso que consiguen, mediante subterfugios de puro músculo y algún veneno, extraer al animal intacto de la dura concha. Los quincontes, por su parte, siguen el rastro de olor de los en apariencia intocables erizos, y los atacan con salivas tóxicas y gimnasia audaz, hasta perforarles la testa y devorarlos.

Pólipos del coral de columnas. *Polyps of the pillar coral.*

En el seibadal las conchas de estos moluscos son objeto de gran demanda.

5 species of marine turtles, the manatee and the bottlenose dolphin. Several species of whales, the sperm whale among them, are regular visitors in offshore waters. Not a single one of these animals, however, is endemic. They are all common to the coastal waters of neighboring territories.

The scenery of the shallow bottoms is dominated by a seagrass species, the turtle grass, which centuries back was pastureland to innumerable green turtles. On the surface of its ribbon-shaped leaves grow delicate algae; minuscule invertebrates settle for life. Others take refuge within the scaled-up lawn or dig hideouts under its shadow.

Swimming over a turtle grass plain or diving one with SCUBA gear might seem an uninspiring perspective. As seascapes go, these underwater prairies win no admirers, and exclude all possibilities of dropping down a wall or swimming through a tunnel. But if they are inspected, a myriad of creatures start to appear: mollusks, sea urchins, sea stars, sponges, holothurians, and even corals and fish.

Splattered over this strange inundated lawn are queen conchs, huge mollusks whose adulthood is marked with an outward projection of their shell opening. Other mollusks of similar size, the king helmet and relatives, grow by jumps, producing in each stage a highly polished and beautifully colored surface with a thin slit through which the animal slides its muscular half.

The queen conch feeds mostly upon microscopic algae scraped from the surfaces of the grass blades. Older individu-

Palacios de sólida arquitectura, al quedar vacíos, un bestiario entero compite por ocuparlos. Entre ellos debería tener prioridad el ermitaño gigante, de anatomía por entero asimétrica, adaptada a llenar la espiralidad de estas conchas. La relativa escasez del cobo, sin embargo, ha convertido este crustáceo en rareza. Ocupan las conchas, sobre todo, anémonas gigantes y anilladas, que esconden en las vueltas más profundas la vulnerable base de sus cuerpos; lo único que de ellas se observa es el mazo apretado de tentáculos, siempre hambrientos de algún bocado menor.

Otro inquilino frecuente de las conchas de cobo vacías, al menos en los extensos seibadales al norte de Los Canarreos, es un pececillo con cara y conducta de gángster del celuloide, de cabeza y boca sobremedidas. Por el día recibe, junto a otras decenas de peces pequeños, prietos y cabecigrandes, el nombre de sapito. Por la noche le llaman, sin saberse que es él o ni siquiera un pez, "vaquita de la mar". Su voz recuerda, en efecto, el mugido de una vaca, y en una noche sin brisa el excéntrico coro puede escucharse incluso desde fuera del agua.

Cuando en medio de un seibadal afloran algunas rocas del substrato, se afincan de inmediato sobre ellas las larvas de corales, gorgonias y esponjas. El resultado es una versión mínima de arrecife, un oasis intenso de vida macroscópica animal. Los pescadores llaman *cabezos* a estos conglomerados, y en ellos cada caverna y recoveco sirve de guarida a un pez. Lejos de haber escondites vacantes hay alrededor una verdadera nube de peces—loritos, caballerotes, peces perro . . . —para los cuales la estruc-

als have their shell outgrowth almost completely worn out, but the basic portion 3 to 4 times thicker than younger adults. This characteristic probably assisted the species from becoming quarry to the incredible mandibular power of the loggerhead turtle, its main predator in former days. Nowadays this mollusk is a more frequent prey to 2-pound octopi which manage, through the use of pure-muscle subterfuge and some venom, to extract the animal from the shell, both intact. The helmet conchs, on the other hand, follow the odor trail left by the apparently unassailable sea urchins, and attack them with toxic salivas and audacious gymnastic gimmicks, until finally they manage to perforate the ball-shaped test and devour its contents.

On turtle grass fields empty shells are in high demand. These solidly built palaces are disputed, as soon as emptied, by a whole menagerie of small marine creatures. The conch hermit crab should have priority in occupying these dwellings, their anatomy being completely asymmetrical, and specially designed to fill the spirally-shaped spaces inside the shells. The relative scarcity of the queen

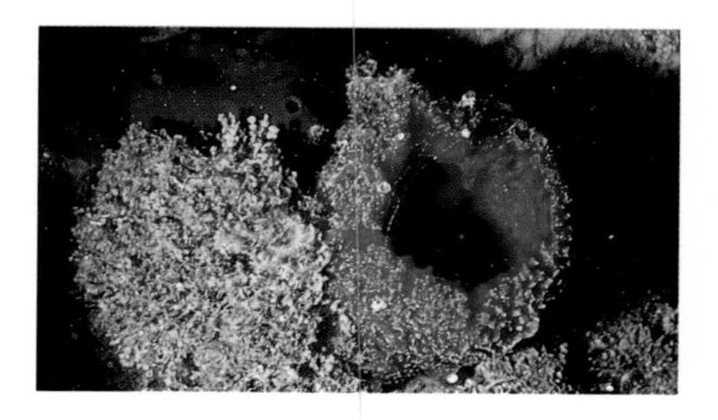

▲ Esponja (*Mycale* sp). *Sponge.*
Isabelita reina. *Queen angelfish.* ▶

Crinoideo (*Nemaster rubiginosa*). *Crinoid.*

tura tridimensional resulta quizás un apoyo psicológico, o una referencia espacial, pero nunca protección física. Incluso a decenas de metros de los cabezos se mueven, muy pegados al fondo, cardúmenes copiosos de biajaibas y roncos.

Para ellos la defensa está en su propio número y movimiento, lo que confunde a los atacantes. En casos de peligro extremo se lanzan de cabeza hacia el interior de la gruesa alfombra verde, y allí se quedan muy quietos hasta que el depredador se retira. El recurso vale contra los carnívoros

conch, though, has made this crustacean infrequent. Empty shells have today other tenants, mainly the ringed and giant anemones, which keep their vulnerable white and bright red columnar bodies out of view in the deepest parts of the fortress,. Their only protruding parts are a tight bundle of permanently hungry tentacles.

Another species commonly lodged in empty queen conch shells, at least across the extensive turtle grass fields north of Los Canarreos, is a 4-inch fish—a toad-

de orientación visual, como la picúa, pero es inútil para protegerlos de las toninas. Cuando un pez se les "pierde" entre la seiba, ellas maniobran hasta golpear, con la superficie plana de la cola, en el sitio mismo donde desapareció. El impacto de la dura cola contra el sustrato es tan enérgico que el estampido se puede escuchar, bajo el agua, a un centenar de metros de distancia. A continuación la tonina se coloca en posición vertical, con la cabeza muy cerca del fondo, y lanza ráfagas continuas de sonidos, con lo cual ubica la posición exacta de la atontada víctima. Acto seguido, la captura entre la hierba.

~ ~ ~

El límite exterior de la Cuba personalmente visible y tangible lo marca un collar de casi puro coral; está compuesto por medio centenar de especies, la mayoría coloniales. Día tras día los pólipos de cada colonia depositan una delgada capa de mineral y al cabo del año esta se traduce en un incremento de 1 a 2 centímetros. Crecen con formas en extremo variables, dictadas tanto por las pautas codificadas en los genes como por la necesidad de buscar la luz, de resistir las presiones del oleaje o la corriente, y de evitar el contacto—la guerra de toxinas—con otras especies vecinas.

El resultado de lo anterior es una metrópolis anillar de deslumbrante complejidad arquitectónica, que sirve de asiento y refugio a miles de otros seres y que maravilla, siempre, cada vez, a quienes han tenido el atrevimiento menor de colocarse a la espalda un balón de aire comprimido.

Algunos cabezos alcanzan dos metros

fish—with the face and ways of a 1950's Hollywood mobster: a stunted bully with oversized head and mouth. During the day—or out of the water—fishermen apply to it the same name as to dozens of other small, darkish and large-headed fishes: *sapito*, which means toadlet. At night, however, they do give him a specific name, *vaquita de la mar* (sea cowlet), without knowing it to be even a fish. Its voice is truly reminiscent of the lowing of a cow, and in a breezeless night the chorus can be heard even outside the water.

Wherever in a turtle grass field there are outcrops of rocky surfaces, these are quickly invaded by the larvae of corals, gorgonians and sponges. The result is a minimal version of a reef, an intense oasis of macroscopic life. Cuban fishermen call these clusters of life *cabezos*, and in them each crack and crevice serves as a hideout for a fish. Absolute lack of empty hiding places keeps a whole cloud of fishes—parrotfishes, mangrove snappers, hogfishes . . . —swirling around. For them the tridimensional structure may serve as some kind of psychological reinforcement, or maybe as a spatial reference, but in no way as physical protection. Schools of lane snappers and grunts move close to the bottom even up to 100 feet from the coral heads.

For them protection comes from their number and coordinated movements, which often confuse attacking predators. When in imminent danger, these fishes dive headlong into the thick green rug below, and remain quiet. They thus disappear from sight until the threat is over. The ploy works well against visually-ori-

Esponja fluorescente y cangrejo araña.
Fluorescent sponge with spider crab.

de diámetro y están compuestos por miles de pólipos, en la mayoría de las especies de talla menor que una aceituna. Pueden tener dos siglos de antigüedad, o más. Algunos de los corales más chicos están compuestos por un solo pólipo, que entonces es gigante, varias veces mayor que el promedio. Ya sea colonial o solitario, cada pólipo habita un seguro nicho de tabiques y espinas puntiagudas de complejidad gótica.

Aunque desde principios del siglo XVIII los corales clasifican entre los animales, sus vidas están tan imbricadas con algas unicelulares, que no pueden existir sin ellas. Las algas—unas pocas especies—viven dentro del tejido del coral en número de hasta decenas de miles de células en cada milímetro cúbico, y no es exagerado, por tanto, considerarlos mitad plantas. Las algas asisten a los corales en la deposición de minerales, y reciben a cambio el

ented carnivores, like the great barracuda, but is useless in protecting them from the bottlenose dolphin. When a fish "disappears" under the turtle grass, this mammal maneuvers to hit the bottom, exactly in the spot where the fish vanished, with the flat surface of its tail. The blow of the heavy tail against the substrate is of such energy that the sound can be heard, underwater, hundreds of feet away. Immediately after, the dolphin stands vertically, head down, just over the mark, constantly sending out strings of loud clicks. The echoes of these sounds apparently allow the dolphin to pinpoint the location of the fish, since it immediately picks its prey from among the grass.

~ ~ ~

The outer limit of the personally visible and tangible Cuba is marked by a col-

Langosta común. *Spiny lobster.*

privilegio de la fortaleza calcárea; ambos se ayudan, además, en la nutrición.

Los arrecifes más exuberantes crecen a poca profundidad, donde el agua es limpia y circula con regularidad, y la luz solar abundante. Los de mayor extensión están al norte de la península de Guanahacabibes, al sur del grupo insular Los Canarreos, y en los golfos de Ana María y Guacanayabo. Forman barreras kilo-

lar of almost pure coral; about four dozen species live here, most of them colonial. Day after day the polyps of each of these colonies deposit a thin layer of mineral, which by the end of a year translates into an increment of an inch or so. Their growth forms are highly variable, dictated as much by norms coded in their genes, as by the need to search for light pouring down from the surface, the structural

métricas, interrumpidas aquí y allá por canales arenosos, a través de los cuales las mareas a diario empujan, y luego extraen, el aliento del océano.

Domina el paisaje un coral llamado orejón, que crece hasta tres metros de altura, en forma de troncos con ramazones anchas. Comunes, pero nunca abundantes, son las colonias del coral de columnas. Una sola de ellas puede ocupar un área de 5 m^2, y lanza en dirección a la superficie decenas de columnas cilíndricas perfectas, del grueso de una pierna. Una colonia, extraordinaria, crece en Caleta Francés, a 12 metros de profundidad, sobre un promontorio rocoso rodeado todo de arena. La he visitado varias veces, en una ocasión

demands imposed by waves and currents, or the urge to avoid contact—chemical warfare—with other neighboring species.

A result of the above is an annular metropolis of overwhelming architectural complexity, one that provides a foothold and haven to thousands of other creatures, and which marvels, every single time, those who have taken the minor daring step of putting on their backs a tank of compressed air.

Some coral heads reach a diameter of 6 feet, and are made up of thousands of polyps, in most species each smaller than an olive. They can be a couple of centuries old, or more. A few coral species are solitary, composed of but a single polyp,

Gusano plumado. *Feather-duster worm.*

armado de cinta métrica, y me consta que se eleva unos muy respetables 5,4 metros; posiblemente el coral más alto de todo el Atlántico.

En dirección al mar abierto, el fondo por lo general gana profundidad de manera muy gradual. Una característica común a la mayor parte del perímetro sumergido del archipiélago, sin embargo, son dos caídas bruscas de unos 2 a 8 metros de profundidad. Los pescadores llaman a estos escalones *veriles*, y también *cantos*. El primero está a una profundidad de 10 a 15 metros, y se le distingue como *veril de tierra*; el segundo le sigue a los 25 a 30 metros, y se conoce como *veril de afuera* o *canto del golfo*. La regularidad de estos dos saltos asombra, y obedece a que en esos niveles el océano detuvo su descenso (o ascenso) durante muchos siglos, dando tiempo suficiente para que las olas gastaran la roca costera, labrando farallones y solapas. A unos 60 a 75 metros de profundidad hay otro veril más, sin nombre y menos definido, que corresponde al nivel que tuvo el mar hace unos 17.000 años, cuando la última gran glaciación robó al océano el 4 por ciento de sus aguas, depositándolas como inmensa capa de hielo sobre Asia, Europa, y, en mayor medida, sobre América del Norte.

En los veriles, el relieve del fondo está saturado de accidentes. Allí las aguas océanicas limpias permiten el acceso de la luz solar y traen alimento—-plancton—día y noche. La mayor profundidad, por otra parte, amortigua las tensiones mecánicas del oleaje fuerte. Todos ello convierte estos escalones sumergidos en verdaderos acuarios.

several times larger than the average. Whether colonial or solitary, each polyp sits in a secure recess of partitions and spines as intricate as a gothic cathedral.

Although corals have been classified as animals since the beginning of the 18th century, their lives are so deeply intertwined with unicellular algae that they cannot survive without them. Hundreds of thousands of algae cells, of but a handful of species, are present within each square inch of coral tissue. It is therefore not an exaggeration to consider the corals half into the Realm of the Green. The algae assist the coral polyps in the deposition on minerals; in exchange they get the privilege of living in an unyielding calcareous fortress. They also exchange nutritional assistance.

The most exuberant reefs grow in the shallows, where the water is clean and on the move, and sunshine abundant. The largest reefs are north of Guanahacabibes peninsula, south of Los Canarreos, and in the insular groups of Ana María and Guacanayabo. In these places the reefs form miles-long barriers, interrupted here and there by sandy channels through which the tides daily push into the inner basins, and draw away, the breath of the ocean.

The seascape is dominated by the elkhorn coral, growing up to 10 feet high, with wide branchings. Common, though never abundant, are colonies of the pillar coral. One of these may occupy an area of about 50 square feet, shooting straight towards the surface dozens of perfectly cylindrical columns. An extraordinary colony of this species, still healthy, is in

Bucear en el veril siempre trae sorpresas agradables. En muchos lugares, el crecimiento continuo de generaciones sobre generaciones de corales ha llegado a formar mogotes de roca con las dimensiones de una cabaña campestre, el techo adornado

Esponjas, corales y algas en un arrecife.
Sponges, corals and algae in a reef.

con la generación actual. Entre uno y otro mogote hay explanadas y canales por donde escapa la arena hacia las mayores profundidades. Como los mogotes crecen también hacia los costados, algunos canales se han estrechado hasta convertirse en túneles, intrincados pero buceables, de cuyas paredes y cubierta sobresale una fauna surrealista: largos y gráciles tirabuzones del coral de alambre; delicadísimas esponjas tubulares de hasta dos metros de longitud, de amarillo y violeta chillones; y cascadas del translúcido y frágil coral de plato.

Una buena parte de los arrecifes cubanos ha sido despojada de sus hués-

Caleta Francés (Isle of Youth). Its base is on a rocky promontory at the depth of 40 feet. I have visited this spot several times—once armed with a yardstick—and am positive that it rises some respectable 17.7 feet; quite possibly the tallest coral in the Atlantic.

Toward the ocean, the bottom gains depth gradually. A characteristic common to most of the archipelago's submerged perimeter are two escarpments, where the bottom drops, abruptly, about 5 to 20 feet. Fishermen call these declivities *veriles*. The first of them is usually found at a depth of about 35 to 50 feet, while the outer one is located some 85 to 120 feet under the surface. The regularity of these two escarpments is astonishing, and fall from the fact that they represent the levels where the ocean stopped its ascent or descent long enough to carve these two cliffs. Some 200 to 250 feet under the waves there is still another *veril*, this one corresponding with the sea level some 17,000 years ago, when the last great glaciation stole about 4 percent of the oceans' waters. These were kept frozen—literally—as an inconceivably thick layer of ice deposited on the northern continents, mostly in North America and Europe.

At the escarpments the bottom is saturated with accidents. Clean oceanic waters allow access to sunlight and bring food—plankton—day and night. The greater depth, on the other hand, muffles the mechanical tensions derived from wave action. All this turns these submerged cliffs into free-for-all aquaria.

Diving the drop-offs always brings

pedes mayores. Es raro encontrar hoy día un carey, una caguama, una guasa o un tiburón, pues estas especies han sido víctimas de pesquerías desmesuradas. En los arrecifes más apartados, sin embargo, aún se pueden ver cuberas, aguajíes y loros guacamayos de hasta un metro de longitud. De tallas sólo un poco menor hay también pargos, peces perro y jallaos; en ocasiones uno puede ser rodeado, de repente, por bandos de hasta un centenar de palometas o jiguaguas que parecen bañadas en plata.

Gorgonia no identificada y esponja trompeta amarilla. ***Unidentified gorgonian and yellow trumpet sponge.***

La fauna arrecifal menor, como nunca ha sido objeto de interés comercial, está casi intacta. Los preciosos tritones y macos, de cierta demanda para el trueque, y la estrella de mar, cuyos ejemplares vaciados y secados al sol han adornado las repisas de cada hogar en la isla, casi han desaparecido por completo. Pero ahí sigue la carnavalesca isabelita reina, las majestu-

pleasant surprises. In many places the continuous growth of generations of corals have formed rocky mounds the size of an old fashioned log cabin, its roof adorned with the current generation. In between these mounds there are expansions through which the sand escapes into greater depths. As the mounds grow not only upwards but also sideways, some expansions are narrow, while others have turned into tunnels, intricate but wide enough to be passed, their walls and ceilings studded with a surreal fauna: long and gracefully curled wire corals; delicate tubular sponges up to 6 feet long, of a dazzling yellow or violet; and cascading sheets of fragile and translucent saucer coral.

A good part of the Cuban reefs has been stripped of their larger inhabitants. Hawksbill and loggerhead turtles, jewfish and sharks are a rare sight today, victims of intense fisheries. In reefs more distant from cities and towns, however, huge cubera snappers are still to be found, as well as black groupers and rainbow parrotfishes up to 3 feet long. Slightly under this size range are red snappers, hogfishes and the margate. Occasionally divers are suddenly surrounded by a school of a hundred or so silver-bathed permit or crevalle jacks.

The lesser reef fauna has never been subjected to commercial pressures, and is thus fairly intact. Trumpet tritons and the larger cowries, priced as curios, and the West Indian sea star, which has adorned every TV set on the island, have all but disappeared. But still there is the carnivalesque queen angelfish, majestic

osas chiviricas, y ese artífice del arte a dos colores, el loreto. Hay gobios y camarones limpiadores de la talla de un fósforo que, uniformados a rayas, siguen ofreciendo a una gran clientela de peces un eficiente servicio de extracción de parásitos externos y hasta bucales.

De un rojo arterial, por ejemplo, hay en los arrecifes al menos una especie de cangrejo, otra de camarón, un cangrejo ermitaño, varios peces, un gusano-arbolito, una estrella frágil y dos esponjas. Todos ellos, más los otros miles que abarcan los colores apastelados, los pigmentos vivos del óleo, los brillos de metal bruñido y hasta los tintes escandalosos de la fluorescencia, forman parte de la madeja maravillosa de un universo que—literalmente—está a nuestros pies. Este gran paraíso de seres menudos se mantiene en un estado tan prístino como el de aquellos arrecifes que presenciaron el paso alto de las carabelas colombinas, e incluso como aquel que, seis milenios atrás, fue testigo de las primeras canoas aborígenes.

French and gray angelfishes, and that indisputable bi-colored wonder, the fairy basslet. There are cleaner gobies and shrimp the size of a match, which still offer an efficient parasite-picking service to hoards of passing-by fishes.

Of a mighty red color, for example, the reefs hold at least one crab, a shrimp, a hermit crab, several fish, a Christmas tree worm, a brittlestar and two sponges. All of them, plus the other thousands of species that span the color range of pastel, the vivid tones of oil paint, the shiny scale of polished metals, and even the riots of fluorescence, make up this beguiling lot. At just a jump's-distance from the coast, this paradise of smallish beings is in a pristine condition, not unlike the one that witnessed the path of the Colombian caravels and caracks, and even close to that of reefs overrun by the first canoes arriving to the island.

Esponjas
(*Dasychalina cyanthina*).
Sponges.

Jubo y joturo allá en el futuro
Fangs and Feathers into the Future

Algunos meses atrás tocó mi puerta un niño de 6 a 7 años de edad. Traía urgencia, pues se trataba de una serpiente desconocida aparecida en el vecindario. Lo acompañé media cuadra más abajo, hasta donde un tío suyo y otro vecino, médico e ingeniero respectivamente, miraban con atención algo en el medio mismo de la calle. Casi la piso sin querer: era un majacito bobo común de pocos días de nacido, calmudo, del grosor de un cordón de zapato. Típico de su especie, tenía el cuerpo color café con manchas oscuras, y la punta misma de la cola amarillenta. El médico, quien dominaba la situación, tenía la sospecha de que fuera una serpiente cascabel.

El incidente no tiene nada extraordinario; es reflejo fiel, por el contrario, del generalizado desconocimiento acerca de los animales autóctonos del archipiélago. Se expresa a diario, por ejemplo, en cada rincón donde se expende artesanía: la inmensa mayoría de las producciones con figuras de animales representan alguna criatura exótica: desde caballos y toros

▲ Orquídea (*Encyclia* sp.). *Orchid.* Soplillar, Ciénaga de Zapata, Matanzas.

◀ Catibo. *Cuban water snake.* Sierra de Galeras, Pinar del Río.

Several months back, a six- or seven-year-old boy knocked on my door. The matter was urgent: an unidentified snake had shown up in the neighborhood. I accompanied him halfway down the block to the place where an uncle of his and another neighbor, a physician and an engineer, stared attentively—while keeping a distance—at something right in the middle of the street. I almost stepped on the animal. It was a newborn common pygmy boa, relaxed, thinner than a laptop's power cable. Typical of its species, it was coffee-colored, with dark blotches above, and was yellowish at the tip of the tail. The medical doctor, who dominated the situation, had suspicions it could be a rattlesnake.

The incident is not at all unusual. On the contrary, it reflects well the generalized ignorance about animals indigenous to the archipelago. This can be corroborated every day of the year at any place where hand-crafted souvenirs are sold: the great majority of the items consisting of animal figures are reproductions

hasta galápagos y elefantes. Otro tanto ocurre con la pintura tradicional: la tropicalidad de los ambientes está dada por alguna ceiba, o framboyanes y cocoteros foráneos. En el mejor de los casos, los paisajes exaltan vergeles vigorosos o la selva ya domesticada, de estructura abierta, que rememora ambientes propios de otro clima, moderado. Ninguno de los pintores considerados grandes llevó al lienzo, como protagónicos, animales en realidad cubanos; los cuadros de mayor fama muestran a lo sumo gallos, pavos reales y caballos. La falta es vieja, difícil de salvar y nada original: lo mismo ocurre en Puerto

of some exotic creature, from horses and bulls to land tortoises and elephants. An identical thing happens with traditional paintings. The tropicality of landscapes often comes from depicting a majestic *ceiba* tree, or imported flamboyants and coconut trees. In the best of cases the scenes idolize vigorous, unbridled gardens, or domesticated pieces of jungle of an open structure, reminiscent of environments more proper of a moderate climate. None of the painters considered great represented authentically Cuban animals in a leading role. The most renown paintings portray at most roosters, horses or

Plata (República Dominicana) o en San Juan (Puerto Rico).

Paralelo a esto tenemos por flor nacional la de una planta—llamada mariposa—que procede nada menos que de Indochina. El motivo fue su valor

▲ Mariposa nocturna (*Utethesia ornatrix.*). *Moth.*
Topes de Collantes, Escambray, Sancti Spíritus.

◀ Helechos arborescentes. *Tree ferns.*
Guantánamo.

patriótico: los mambises, supuestamente, escondían dentro de sus hojas mensajes secretos. Tiene, además, una forma delicada y fragancia dulzona, agradable. Pero ninguna de estas razones justifica su elección al rango de flor nacional, sobre todo en un archipiélago verdísimo donde viven unas 6.700 especies de plantas superiores, la mitad de ellas en exclusiva.

Aunque oficialmente Cuba no tiene un animal nacional, en la práctica la flor llamada mariposa tiene su homólogo animal extranjero: el venado de cola blanca. Fue traído a Cuba en la primera mitad del siglo pasado por colonos que añoraban los cérvidos de sus tierras natales, y que no

peacocks. The fault is old, hard to repair, and not at all original. The same occurs in Puerto Plata (Dominican Republic) or San Juan (Puerto Rico).

Parallel to this we have a national flower, the butterfly lily, coming from a plant native to far away Indochina. The motive for its election was patriotic value: fighters for independence supposedly hid tiny, rolled-up written messages within its curled leaves. The flower has a delicate form and an extremely sweet and pleasing aroma, but none of this justifies its election to the rank of national flower, in a deep-green archipelago with some 6700 species of indigenous higher plants, half of them exclusive.

Although officially Cuba does not have a national animal, in everyday life the butterfly lily has its animal counterpart: the white-tailed deer. The animal was brought to the island during the first half of the 19th century, by colonists with a nostalgia for homeland cervids and little appreciation for the local profusion of indigenous reptiles. Its hunting had been regulated since 1909, became more strict in 1936, and has been completely prohibited since 1960. All this care is taken in spite of the fact that the animal selectively devours the lower vegetation of forests, including tree sprouts, thus drastically reducing the diversity of plant species. This deer is a beautiful creature, with sensuous eyes and edible meat, but devastating to Cuban ecosystems. In an interview given more than ten years ago, the white-tailed deer was mentioned as second symbol of Cubanness (after the royal palm) by no less than the country's national poet,

apreciaban la profusión de reptiles indígenas. Su caza está regulada desde 1909, se hizo más estricta en 1936 y se prohibió por completo desde 1960. Todo ello a pesar de que el animal devora de manera selectiva la vegetación baja de los bosques, incluidos los retoños, con lo cual reduce de manera drástica la diversidad de especies sobrevivientes. Es un animal bello, de ojos sensuales y comestible, pero devastador para los ecosistemas cubanos. En entrevista realizada hace algo más de una década, este cuadrúpedo fue mencionado como segundo símbolo vivo de cubanía (después de la palma real), nada menos que por el Poeta Nacional, Nicolás Guillén. La figura del forastero aparece hoy en casi cada una de las vallas que a los lados de las carreteras recuerdan la necesidad de proteger el bosque. Es fortuna, en este caso, que existan cazadores furtivos.

Cuando en Cuba utilizamos un animal como mascota de un equipo deportivo, escojemos tigres, elefantes, leones, panteras o algún alacrán transnacional. En el léxico diario se utilizan los nombres vulgares de los animales cubanos sólo para adjetivar personas o conductas abyectas. *Lagartija* y *jutía* significan miedoso; *sapo*, quien molesta con su presencia o lanza premoniciones adversas; y *majá*, aquel que descansa cuando es momento de trabajar. *Caimán* califica a quien combina astucia con engaño, mientras que *caguama* y *tonina* se utilizan para caracterizar a la mujer entrada en kilogramos.

El mismo desapego a la naturaleza indígena subyace en la decisión de introducir otras especies exóticas. Diseminados por toda Cuba hay bosques enteros de

Nicolás Guillén. The foreigner's portrait appears today in almost every single billboard reminding passers-by of the need to protect the wildlife.

When we use the image and name of an animal as a sports-team mascot in

▲ Garza roja. *Reddish egret.* La Salina, Ciénaga de Zapata, Matanzas

Pequeña mariposa (*Brephidium exilis*). ▶ *Tiny butterfly.* (14mm) *Santa Fe, La Habana*

Cuba, we always pick tigers, elephants, lions, panthers, or some transnational scorpion. In the daily lexicon the common names of Cuban animals are used only to qualify reproachful persons or behaviors. *Lagartija* (lizard) and *jutía* (hutia) mean coward; *sapo* (toad) goes for the person whose presence is undesired, or for those who impart adverse premonitions; and *majá* (short for Cuban boa) serves to characterize the person prone to rest during the working hours. The word *caimán* (crocodile) is used to describe the person who combines cunningness with deceit, while *caguama* (loggerhead turtle) and *tonina* (bottlenose dolphin) are for hefty women.

▲ Boniata de costa. *Beach morning glory.* Isla de la Juventud.

◀ Helechos. *Ferns.* Guantánamo.

casuarinas y eucaliptos. Hasta 1989 una organización dedicada supuestamente a proteger la flora y fauna nacionales había introducido dos docenas de especies de mamíferos exóticos. Entre ellos había 5 especies de cabras, 6 de antílopes y 3 de ciervos, liberados en fincas especiales de aclimatación. También se trajeron 5 especies de monos (cerca de medio millar de animales), que luego fueron desembarcados en cayos de naturaleza frágil y valiosa.

~ ~ ~

Habitamos estas islas, y también Centro y Suramérica, los descendientes de un *confetti* cultural europeo que destruyó, mediante lanzas, maltratos, perros y bacterias, las culturas aborígenes. A continuación enriqueció la mezcla con sangres, creencias, mitos y miedos traídos a la fuerza, o mediante engaños, desde África y Asia. El desarraigo y extravío de los latinoamericanos (de descendientes

An equal lack of affection towards indigenous animals has underlaid the many decisions for introducing exotic species. Disseminated throughout the archipelago are whole forests of Australian "pine" and eucalyptus. Until 1989, an institution supposedly dedicated to protect the island's flora and fauna had introduced two dozen species of exotic mammals. Among them were 5 species of goats, 6 of antelopes and 3 different cervids, all liberated in special enclosures for acclimatization. Five species of monkeys were also imported (about 500 animals) and later disembarked on large keys of fragile and valuable Nature.

~ ~ ~

The inhabitants of the Antillean islands, and also those of Central and South America, are descendants of a European cultural *confetti* that destroyed, with lances, mistreatments, dogs and bacteria, the aboriginal cultures.

foráneos) de hoy está bien expresado en el diálogo entre dos personajes de la última novela de Gabriel García Márquez:

> "Usted lo dice por ser español", dijo Abrenuncio.
>
> "A mi edad, y con tantas sangres cruzadas, ya no sé a ciencia cierta de dónde soy", dijo Delaura. "Ni quién soy".
>
> "Nadie lo sabe por estos reinos", dijo Abrenuncio. "Y creo que necesitarán siglos para saberlo".
>
> *Del amor y otros demonios*

La cultura europea, acoplada a su monumental vástago norteamericano, es quizás la agrupación humana más alienada de la naturaleza. En cualquiera de los idiomas de la familia lingüística europea, la palabra *salvaje* tiene una larga lista de sinónimos, todos ellos—vándalo, irracional, inculto, cruel, insociable, violento, bruto—en extremo cargados de desprecio, indignos. Lo salvaje, no hay duda, se tiene por malo.

El embrión del desatino se remonta al menos hasta los grandes filósofos griegos: Sócrates sentía desdén por todo lo salvaje, mientras que Aristóteles veía las plantas como creaciones para el consumo por los animales, y estos para la explotación por los humanos. Francis Bacon y René Descartes luego amputaron a los animales la capacidad para sentir y pensar, y les prohibieron tener un alma. Para ellos el planeta era como un gigantesco almacén de autómatas inconexos a los cuales había que descifrar, conquistar y explotar. Con ello se

Immediately afterwards the mixture was enriched with bloods and cultures (beliefs, myths and fears), hauled in forcefully, or teased by fraudulent promises, from Africa and Asia. The extraneousness and sense of non-existence of Latin Americans (of foreign descent) is well expressed in a dialogue between two characters of Gabriel García Marquez's latest novel:

> "You say that because you are a Spaniard," said Abrenuncio.
>
> "At my age, and with so many crossed bloods, I don't know for sure where I come from," said Delaura. "Nor who I am."
>
> "No one knows it about these kingdoms," said Abrenuncio. "And I believe it will take centuries to find out."
>
> *Of Love and Other Demons*

The European culture, coupled with its monumental North American child, are possibly the groups of humans most profoundly alienated from Nature. In any of the languages of the European linguistic family, the word *savage* has a long list of synonyms, all of them—vandal, irrational, unrefined, cruel, unsociable, violent, brute—extremely loaded with contempt, indecorum. The savage world, decidedly, is wrong.

The blunder's embryo is at least as old as early Greek philosophers. Socrates felt disdain for wilderness, while Aristotle envisioned plants as creations for animal

des-sacralizó la naturaleza y se hinchó de arrogancia a los humanos, creándose así un abismo artificial que ha conducido a daños ecológicos irreparables.

Esta cultura—que sobrevuela los más diversos discursos ideológicos y filosóficos, y que lleva en alto el poder tecnológico y la psicología de explotación máxima, crecimiento económico y desarrollo de mercados-, ya ha convertido medio planeta en basurero. Nuestro divorcio con la naturaleza ha generado los casos más flagrantes de delito ambiental, y también la lista más larga de calamidades sociales: drogas, alcoholismo, juego y violencia, entre otras.

En América Latina, la monocultura euroestadounidense ha señoreado por completo al margen de la naturaleza autóctona, y en detrimento de ella. Si "no sabemos quienes somos" es porque, después de pasar acá dos, seis, diez generaciones, hemos dejado de ser europeos, africanos y asiáticos; y al mismo tiempo seguimos siendo extraños en estas tierras. La cultura cubana no es por entero cubana, y todo parece indicar que, en efecto, pasarán siglos antes de que logremos integrarnos a la naturaleza local.

~ ~ ~

La búsqueda de nuestras raíces en el pasado reciente, histórico, ha sido intensa: el resultado de tanto estudio llena bibliotecas enteras. Ayuda a comprender la magnitud de la confusión, pero no hace mucho por sacarnos de ella. Al buscar la cubanía en nuestra propia historia se parte de una premisa equivocada, que sigue la tradición antropocentrista de la cultura europea.

consumption, and these as objects for multifarious exploitation by humans. Francis Bacon and René Descartes later severed animals from their right to feel and think, and to have a soul. For them

Camaleón azul. *Blue anole.*
Playa Larga, Ciénaga de Zapata, Matanzas.

the planet was a gigantic warehouse of unconnected automata, which were there to decipher, conquer and profit by. Nature was de-sacralized, and human "nature" overstuffed with arrogance. The artificial abyss thus created has led to much ecological damage, most of it irreparable.

This culture—which overrides the most diverse ideological and philosophical worldviews and holds up high the banner of technological power and the psychology of maximum exploitation, economic growth and a market economy—has already trashed a good half of the planet. Our divorce with wildness has generated the most flagrant cases of environmental mischief, and also the longest list of social calamities: drugs, alcoholism, gambling

Esto equivale a buscar aves entre el follaje lejano utilizando un espejo cóncavo en vez de unos prismáticos: chasco seguro.

En el sentido más sustancial, la respuesta está en el pasado remoto del planeta, y trasciende las fronteras geográficas y, por supuesto, las políticas. Con certeza no conocemos la identidad de ninguno de nuestra muy larguísima lista de antepasados, aunque cualquier biólogo educado podría bocetar a grandes rasgos el ancestro correspondiente a cualquier era geológica. Ni uno de ellos sobresalía por la estatura, el aparataje muscular, o el arsenal de colmillos puntiagudos. Aun si fuera posible, pocas personas colgarían en la pared la imagen de un antepasado velludo que andaba a cuatro patas, escamudo y nadador, de vida acuática sésil, o translúcido y unicelular.

Libélula. ***Dragonfly.***
San Antonio de los Baños, La Habana.

A pesar de su aspecto modesto, sin embargo, fueron todos supervivientes de excepción; aunque no más que la igualmente larga lista de los ancestros de la

and violence, among others.

In Latin America, the Euro-North American monoculture has domineered in complete ignorance of indigenous Nature, and to its detriment. If we "don't know who we are" it is because after living here for two, six, ten generations, we are no longer Europeans, Africans, or Asians. At the same time, we are still foreigners in this land. Cuban culture is not entirely Cuban, and all things indicate that, truly, centuries will pass before we manage to integrate with local Nature.

~ ~ ~

The search for our root in the recent, historical past, has been intense: the result of this quest fills entire libraries. It helps in understanding the magnitude of our confusion, but does not assist much in getting us out of it. By searching for Cubanness within our own history we start out from a wrong premise, which follows the anthropocentric tradition of European culture. It is equal to searching for a bird amongst the distant foliage utilizing a concave mirror instead of binoculars. A sure fiasco.

In the more substantial sense, the answer lies in the planet's remote past, and transcends geographical and, of course, political frontiers. With certainty we do not know the identity of any single one of our long list of ancestors, although any well-educated biologist could produce coarse sketches of the ancestor corresponding to any geological era. Not one of them, though, was particularly tall, or had an arsenal of pointed fangs. Even if it

ballena azul, de la cucaracha común, o de los otros 10 millones de seres que hoy pueblan el planeta. Esos millones de linajes convergen hacia un solo punto en el pasado muy remoto, y hacen el milagro de la vida. La identidad específica de nuestros antepasados puede permanecer desconocida; existieron, y ello nos hace hermanos del tapir y la tonina, primos hermanos de la sardina y el jubo; primos de cualquier lombriz o milpiés. Somos parientes incluso de palmas, hongos y bacterias.

Nuestra raíz última y fundamental es la naturaleza. No la que hemos domesticado en los jardines y parques, ni la de los libros o el televisor, sino la que está allá afuera en lo salvaje; la que cambia por su propia voluntad; la compleja, caprichosa e impronosticable; la movida por misterios insondables; la que nos llena siempre de sorpresas. Sólo después de identificarnos plenamente con ella, y de vivirla y sentirla— incluido el frío de la noche en la montaña, el fango después del chubasco, las picadas del feroz bestiario entomológico, y el paso de riscos en verdad peligrosos— empezaremos los humanos a encontrar el camino para curarle al planeta las heridas, que son muchas. De paso curaremos nuestros propios males.

Es por eso que las raíces de la cubanía no hay que buscarlas, sino echarlas. Los antillanos, casi sin excepción, tenemos el privilegio de vivir en tierras de contornos naturales definidos, que además están habitadas en buena medida por seres exclusivos: en cada isla la vida tiene una identidad bien marcada. El pasto no podía ser mejor para desarrollar el sentimiento patriótico más valedero: el biológico. Y no

were possible to single them out, few people would bother to frame the image of a furry creature walking on four legs, that of a scaly swimmer, of an entirely sedentary two-inch bottom-dweller, or of a unicellular and translucent one.

In spite of all their modest appearance, however, they were all exceptional survivors; though not more so than the equally long list of ancestors of the blue whale, the common cockroach, or the other 10 million or so living beings that today populate the planet. These millions of lineages all converge, in retrospect, towards a single creature, and make the miracle of life. The specific identity of our ancestors can remain unknown. They no doubt existed, and that makes us brothers and sisters of the tapir and the dolphin, first cousins of the sardine and the diamond-backed terrapin, third cousins of any worm or millipede. We are relatives of even palms, fungi and bacteria.

Our ultimate and fundamental root is Nature. Not the one we have domesticated in gardens and parks, nor the one perceived through books or TV screens, but the one out there, the savage one. The one that changes at her own will: complex, capricious and totally unpredictable. The one moved by unfathomable mysteries, always filling us with surprises. The path to curing the miseries we have imposed on the planet will start making itself clear only after we have begun to commune with wildness, to live in it and

Lagarto de patas azules. ▶
Western cliff anole.
Sierra de Galeras, Pinar del Río.

Saltamonte pigmeo. ***Pygmy grasshopper.*** **Maisí, Guantánamo.**

se trata de cultivar el orgullo; basta la alegría de sabernos— hierbas, grillos y humanos— comunidad saludable.

Motivos para cuidar lo salvaje sobran: van desde el elemental cálculo económico a largo plazo y el cuidado de dejar abierta la gran puerta para la utilización de lo hoy desconocido, hasta el respeto a la vida y permanencia temporal de los muchos seres con quienes compartimos estos ambientes.

feel it, including the cold night on a mountain, the thick muds that follow a thunderstorm, the bites from the ferocious entomological menagerie, and the crossing of really dangerous craggy trails. In passing, we will cure our own mishaps.

For these reasons, the roots of Cubanness are not to be searched for, but shot out. We, Antilleans, have the privi-

Otra razón, de mayor peso aún, es funcional. Las 60.000 milagrosas especies de seres vivientes conocidas en Cuba y sus aguas costaneras, están todas conectadas entre sí por una intrincada red de dependencias e interacciones. La consecuencia es otro milagro igual de inverosímil: el conjunto, de manera natural, limpia las aguas; crea suelos; genera la humedad que se transforma en nubes y luego en lluvia; poliniza las flores; defiende las costas. Roca, aire, agua y seres vivientes forman un todo indisoluble e interdependiente. Lo salvaje logra el milagro circular de hacerse a sí mismo posible.

Diferentes grupos humanos han invadido estas islas en cinco ocasiones, dos de ellas muy traumáticas. El primer grupo extirpó los mamíferos y las aves de mayor talla. Dos milenios después otro grupo le desplazó, y con el paso de los siglos logró al parecer un equilibrio sano con lo muchísimo que aún quedaba de la naturaleza autóctona. La quinta y última invasión ha tenido un impacto mucho más violento, y el ritmo de la destrucción no ha frenado. Nuestros descendientes—tres, diez generaciones adelante—no nos podrán demandar en ninguna corte, pero de seguro nos harán responsables de sus miserias. Yo, al menos, responsabilizo de la pobreza de hoy a quienes tomaron, siglos atrás, tanta decisión de rapiña. Les concedo, sin embargo, el atenuante de la ignorancia, y el de haber actuado inmersos, de manera inconsciente, en un océano de arrogancia. Hoy son otros los tiempos.

Cuba no es un simple pedazo de suelo con montañas aquí y allá, sino un ambiente muy verde y muy azul, repleto de

lege of living on lands with well-defined natural limits, which are inhabited mostly by unique beings. Each island has a clear-cut personality. The ground could not be more fertile for the development of the most valuable patriotic feeling: the biological one. And it is not a matter of cultivating pride, but just the happiness of being—grasses, crickets and humans—a healthy community.

There can be many motives to care for wildness: from the elementary arithmetic of long-range economy to the provision of leaving opened a big door for future utility options. Also to be considered is respect for the lives and temporal permanence of the other creatures with which we share the planet.

Another, heavier motive is strictly functional. The 60,000 miraculous beings known to live on Cuba and in its coastal waters are all interconnected by an intricate web of dependencies and interactions. The result is another equally improbable miracle: the system naturally cleans the waters, creates soils, generates the humidity that transforms into clouds and later rain, pollinates flowers, protects the coast. Rock, air, water and living creatures are actually an unbreakable, interdependent oneness. Wildness—the savage thing—accomplishes the circular wonder of making itself possible.

Different groups of humans have invaded these islands on five occasions, two of them most traumatic. The first group extirpated the larger-sized mammals and birds. Two millennia later another party displaced them, and with the passing of centuries apparently found

vida singular. Una razón última para garantizar la permanencia en el tiempo de esta fenomenal naturaleza es proteger el espacio salvaje y libre, promisorio de sorpresas, cargado de misterios. La creo fundamental, imprescindible. Bien sopesada, la palabra *salvaje* debería tener significado idéntico a *hermoso*.

a healthy equilibrium with the still bountiful autochthonous wildlife. The fifth and last invasion has had a much more violent impact, and the rhythm of destruction has not decreased the least. Our descendants—three, ten generations ahead—will be unable to sue us in court, but will surely blame us for their miseries. I, for one, blame today's poverty on those who pushed "ahead," centuries back, so many plundering decisions. Because of their ignorance, though, and because they were acting submerged in an ocean of arrogance, they must be conferred a degree of extenuation. Times have changed.

Cuba is not a simple lump of ground, with mounds here and there, but a magical green-and-blue habitat, crowded with singular life-forms. A further reason for guaranteeing the temporal permanence of this phenomenal expression of life is to protect this wild space so promising of surprises, so loaded with mysteries. I believe this reason is fundamental, imperative. Properly weighted, the word *savage* should have identical meaning with *lovely*.

Cerca Marea del Portilla.
Near Marea de Portilla.
Pilón, Granma.

Nombres comunes y científicos
Common and Scientific Names

Aguají. *Mycteroperca bonaci.*
Aguajíes. *Mycteroperca* spp.
Aguaitacaimán. *Butorides virescens.*
Alacrán. *Rhopalurus junceus.*
Alcatraz. *Pelecanus occidentalis.*
Almiquí. *Solenodon cubanus.*
Anémona anillada.
Bartholomaea annulata.
Anémona gigante. *Condylactis gigantea.*
Anolis palito de Ojito de Agua.
Anolis inexpectatus.
Araña peluda. *Citharacanthus* sp.
Arriero. *Saurothera merlini.*
Arrastrapanza. *Leiocephalus stictigaster.*
Bayoya común. *Leiocephalus cubensis.*
Bayoyas. *Leiocephalus* spp.
Biajacas. *Herichthys* spp.
Biajaiba. *Lutjanus synagris.*
Bibijagua. *Atta insularis.*
Bijiritas. Parulidae.
Bijirita azul de garganta negra.
Dendroica caerulescens.
Boniata de costa. *Ipomoea pes-caprae.*
Buho gigante corredor.
Ornimegalonyx oteroi (extinto).
Caballerote. *Lutjanus griseus.*
Cabrerito de la ciénaga.
Torreornis inexpectata.
Cachalote. *Physeter macrocephalus.*
Caguama. *Caretta caretta.*
Caguayo. *Leiocephalus carinatus.*
Caimán. *Crocodylus acutus.*
Camaleón azul. *Anolis allisoni.*

American crocodile. *Crocodylus acutus.*
Angelfishes. *Pomacanthus* spp.
Arrastrapanza. *Leiocephalus stictigaster.*
Australian pine. *Casuarina equisetifolia.*
Bare-legged owl. *Glaucidium lawrencii.*
Beach morning glory. *Ipomoea pes-caprae.*
Bearded anoles. *Chamaeleolis* spp.
Bee hummingbird. *Calypte helenae.*
Black grouper. *Mycteroperca bonaci.*
Black-throated blue warbler.
Dendroica caerulescens.
Blue anole. *Anolis allisoni.*
Blue crabs. *Callinectes* spp.
Blue-headed quail dove.
Starnoenas cyanocephala.
Blue-winged teal. *Anas discors.*
Bottlenose dolphin. *Tursiops truncatus.*
Bridled tern. *Sterna anaethetus.*
Brown noddy. *Anous stolidus.*
Brown pelican. *Pelecanus occidentalis.*
Butterfly bat. *Natalus lepidus.*
Butterfly lily. *Hedychium coronarium.*
Cattail. *Typha angustifolia.*
Cercopid insects. Cercopidae.
Cicadas. Cicadidae.
Cleaner shrimps. *Periclimenes* spp.
and *Lysmata* spp.
Cleaning gobies. *Gobiosoma* spp.
Colonel anole. *Anolis lucius.*
Common black hawk.
Buteogallus anthracinus.
Common curly-tailed lizard.
Leiocephalus cubensis.

Camarones de agua dulce.
Palaeomonidae y otras 3 familias.
Camarones limpiadores. *Periclimenes* spp.; *Lysmata* spp.
Campanita común.
Eleutherodactylus planirostris.
Cangrejo araña. *Stenorhynchus seticornis.*
Cangrejo moro. *Menippe mercenaria.*
Cangrejo de tierra. *Epilobocera* sp.
Canario de manglar. *Dendroica petechia.*
Candelita. *Setophaga ruticilla.*
Caracol terrestre. *Chondropomete* sp.; *Sachrysia* sp.
Caracol terrestre liguus. *Liguus* sp.
Caracol terrestre viana. *Viana regina.*
Carey. *Eretmochelys imbricata.*
Carpintero churroso. *Colaptes fernandinae.*
Carpintero jabado. *Melanerpes superciliaris.*
Carpintero verde. *Xiphidiopicus percussus.*
Carpintero real. *Campephilus principalis.*
Cartacuba. *Todus multicolor.*
Casuarina. *Casuarina equisetifolia.*
Catey. *Aratinga euops.*
Catibo. *Tetranorhinus variabilis.*
Cayama. *Mycteria americana.*
Cernícalo. *Falco sparverius.*
Cobo. *Strombus gigas.*
Coco blanco. *Eudocimus albus.*
Cocodrilo. *Crocodylus rhombifer.*
Coral de alambre. *Stichopates lutkeni.*
Coral de columnas. *Dendrogyra cylindrus.*
Coral de plato. *Helioceris cuculata.*
Coronel. *Anolis lucius.*
Correcosta. *Ameiva auberi.*
Corúa. *Phalacrocorax auritus.*
Cotorra. *Amazona leucocephala.*
Crinoideo. *Nemaster rubiginosa.*
Cubera. *Lutjanus cyanopterus.*
Culebritas. *Arrhyton* spp.
Cherna criolla. *Epinephelus striatus.*
Chicharras. Cicadidae.
Chichinguaco. *Quiscalus niger.*

Common pygmy boa. *Tropidophis pardalis.*
Conch hermit crab. *Petrogirus diogenes.*
Correcosta. *Ameiva auberi.*
Cowries. *Cypraea* spp.
Cuban boa. *Epicrates angulifer.*
Cuban blind fishes. *Lucifuga* spp.
Cuban brown anole. *Anolis sagrei.*
Cuban cichlids. *Herichthys* spp.
Cuban crocodile. *Crocodylus rhombifer.*
Cuban emerald hummingbird.
Chlorostilbon ricordii.
Cuban froglet. *Eleutherodactylus limbatus.*
Cuban garfish. *Atractosteus tristoechus.*
Cuban green woodpecker.
Xiphidiopicus percussus.
Cuban hot caves bat. *Phyllonycteris poeyi.*
Cuban insectivore. *Solenodon cubanus.*
Cuban macaw. *Ara cubensis* (extinct).
Cuban monkey. *Paralouatta varonai* (extinct).
Cuban parakeet. *Aratinga euops.*
Cuban parrot. *Amazona leucocephala.*
Cuban pygmy owl. *Gymnoglaux siju.*
Cuban racer. *Alsophis cantherigerus.*
Cuban solitaire. *Myadestes elisabeth.*
Cuban stream anole.
Deiroptyx vermiculatus.
Cuban tody. *Todus multicolor.*
Cuban treefrog. *Hyla septentrionalis.*
Cuban tree snail. *Liguus* sp.
Cuban trogon. *Priotelus temnurus.*
Cuban turtle. *Chrysemys decussata.*
Cuban vireo. *Vireo gundlachi.*
Cubera snapper. *Lutjanus cyanopterus.*
Double-crested cormorant.
Phalacrocorax auritus.
Dragonfly. *Odonata zygaptera.*
Dwarf geckos. *Sphaerodactylus* spp.
Elkhorn coral. *Acropora palmata.*
Eucalyptus. *Eucalyptus* spp.
Fairy Basslet. *Gramma loreto.*
Feick's pygmy boa. *Tropidophis feicki.*

Chillina. *Teretistris fernandinae.*
Chinche gigante. *Lethocerus collosicus.*
Chipojo. *Anolis equestris.*
Chipojo azul. *Anolis equestris.*
Chipojo ceniciento barbudo.
Chamaeleolis barbatus.
Chipojo ceniciento oriental.
Chamaeleolis porcus.
Chipojo occidental. *Anolis luteogularis.*
Chiviricas. *Pomacanthus* spp.
Dajao. *Agonostomus monticola.*
Ermitaño gigante. *Petrogirus diogenes.*
Esponja fluorescente. *Callyspongia plicifera.*
Esponja trompeta amarilla.
Aplysina fistularis.
Esponja trompeta violeta. *Aplysina archeri.*
Estrella de mar. *Oreaster reticulatus.*
Eucaliptos. *Eucalyptus* spp.
Fermina. *Ferminia cerverai.*
Flamenco. *Phoenicopterus ruber.*
Frailecillos. Charadriidae.
Gallareta azul. *Porphyrula martinica.*
Gallego real. *Larus delawarensis.*
Galleguito. *Larus atricilla.*
Gallinuela. Rallidae.
Gallinuela oscura. *Porzana carolina.*
Gallinuela de agua dulce. *Rallus elegans.*
Gallinuela de Santo Tomás.
Cyanolimnas cerverai.
Garcilote. *Ardea herodias.*
Garza azul. *Egretta caerulea.*
Garza real. *Egretta thula.*
Garza roja. *Dichromanassa rufescens.*
Garzas. Ardeidae.
Gavilán batista. *Buteogallus anthracinus.*
Gavilanes. *Buteo* spp.; *Accipiter* spp.
Gaviota boba. *Anous stolidus.*
Gaviota de Sandwich. *Sterna sandvicensis.*
Gaviota monja. *Sterna anaethetus.*
Gaviota monja prieta. *Sterna fuscata.*
Gaviota real. *Sterna maxima.*
Gaviota rosada. *Sterna dougallii.*

Fernandina's woodpecker.
Colaptes fernandinae.
Fluorescent sponge. *Callyspongia plicifera.*
Freshwater shrimp. Palaeomonidae
and 3 other families.
Gallinule. Rallidae.
Giant anemone. *Condylactis gigantea.*
Giant millipedes. *Rhynocricus* spp.
Giant bearded anole.
Chamaeleolis chamaeleonides.
Grass anoles. *Anolis fugitivus; A.mimus.*
Gray kingbird. *Tyrannus dominicensis.*
Great barracuda. *Sphyraena barracuda.*
Great blue heron. *Ardea herodias.*
Great lizard cuckoo. *Saurothera merlini.*
Greater Antillean grackle. *Quiscalus niger.*
Greater flamingo. *Phoenicopterus ruber.*
Green-backed heron. *Butorides virescens.*
Greenhouse frog.
Eleutherodactylus planirostris.
Ground lizards. *Leiocephalus* spp.
Groupers (larger). *Mycteroperca* spp.
Grunts. *Haemulon* spp.
Harvester ants. *Atta* spp.
Hawks. *Buteo* spp.; *Accipiter* spp.
Hawksbill turtle. *Eretmochelys imbricata.*
Helmet conchs. *Cassis* spp.
Herons. Ardeidae
Hogfish. *Lachnolaimus maximus.*
Hutias. Capromyidae
Iguana. *Cyclura nubila.*
Ivory-billed woodpecker.
Campephilus principalis.
Jack crevalle. *Caranx latus.*
Jewfish. *Epinephelus itajara.*
Kestrel. *Falco sparverius.*
Killdeer. *Charadrius vociferus.*
King helmet. *Cassis tuberosa.*
King rail. *Rallus elegans.*
Knight anole. *Anolis equestris.*
Land crab. *Epilobocera* sp.
Lane snapper. *Lutjanus synagris.*

Gobios limpiadores. *Gobiosoma* spp.
Golondrina de árboles. *Trachycineta bicolor.*
Gorriones. Fringillidae.
Guacamayo. *Ara cubensis* (extinto).
Guaraguaos. *Buteo* spp.; *Accipiter* spp.
Guareao. *Aramus guarauna.*
Guasa. *Epinephelus itajara.*
Guasasa. Drosophilidae.
Guincho. *Pandion haliaethus.*
Gusano plumado. *Sabellastarte magnifica.*
Halcón de patos. *Falco peregrinus.*
Hierba cortadera. *Claudium jamaicensis.*
Iguana. *Cyclura nubila.*
Insectos cercópidos. Cercopidae.
Insectos crisomélidos. *Deloyala* sp.
Insectos semilleros. Lygaeidae.
Insectos-palos. Phasmidae.
Isabelita reina. *Holacanthus ciliaris.*
Jaibas. *Callinectes* spp.
Jallao. *Haemulon album.*
Jicotea. *Chrysemys decussata.*
Jiguagua. *Caranx latus.*
Joturo. *Joturus pichardi.*
Juan chiví. *Vireo gundlachi.*
Jubito magdalena. *Antillophis andreai.*
Jubo. *Alsophis cantherigerus.*
Jutías. Capromyidae.
Jutía conga. *Capromys pilorides.*
Lagartija común. *Anolis sagrei.*
Lagartijas yerberas. *Anolis fugitivus; A. mimus; et cetera.*
Lagarto de las piedras. *Anolis mestrei.*
Lagarto de agua. *Anolis vermiculatus.*
Lagarto de patas azules. *Anolis bartschi.*
Lagarto espinoso. *Anolis loysianus.*
Langosta común. *Panulirus argus.*
Lechuza. *Tyto alba.*
Libélula. *Odonata zygaptera.*
Lisa. *Mugil curema.*
Loreto. *Gramma loreto.*
Loritos. *Sparisoma* spp.
Loro guacamayo. *Scarus guacamaia.*

Laughing gull. *Larus atricilla.*
Least sandpiper. *Calidris minutilla.*
Little blue heron. *Egretta caerulea.*
Loggerhead turtle. *Caretta caretta.*
Magnificent frigatebird. *Fregata magnificens.*
Manatee. *Trichechus manatus.*
Mangrove snapper. *Lutjanus griseus.*
Margate. *Haemulon album.*
Millipedes. Diplopoda.
Mountain mullet. *Agonostomus monticola.*
Mourning dove. *Zenaida macroura.*
Mullet. *Mugil curema.*
Nassau grouper. *Epinephelus striatus.*
Northern waterthrush. *Seiurus noveboracensis.*
Ojito de Agua twig anole. *Anolis inexpectatus.*
Oriente warbler. *Teretistris fornsi.*
Osprey. *Pandion haliaethus.*
Palmettos. *Thrinax* spp.-*Coccothrinax* spp.
Parrotfishes. *Sparisoma* spp.; *Scarus* spp.
Peregrine falcon. *Falco peregrinus.*
Permit. *Trachinotus falcatus.*
Pillar coral. *Dendrogyra cylindrus.*
Plovers. Charadriidae.
Polimitas. *Polymita* spp.
Purple gallinule. *Porphyrula martinica.*
Pygmy boas. *Tropidophis* spp.
Queen angelfish. *Holacanthus ciliaris.*
Queen conch. *Strombus gigas.*
Rainbow parrotfish. *Scarus guacamaia.*
Red-fanned rock anole. *Anolis mestrei.*
Red snapper. *Lutjanus analis.*
Reddish egret. *Dichromanassa rufescens.*
Redstart. *Setophaga ruticilla.*
Ringed anemone. *Bartholomaea annulata.*
Ring-billed gull. *Larus delawarensis.*
Rock anole. *Anolis mestrei.*
Rock crab. *Menippe mercenaria.*
Roseate spoonbill. *Ajaia ajaja.*
Roseate tern. *Sterna dougallii.*

Macío. *Typha angustifolia.*
Macos. *Cypraea* spp.
Majá de Santamaría. *Epicrates angulifer.*
Majacito amarillo y negro.
Tropidophis semicinctus.
Majacito pigmeo de Feick.
Tropidophis feicki.
Majacito pigmeo de Wright.
Tropidophis wrighti.
Majacitos bobos. *Tropidophis* spp.
Majacito bobo común. *Tropidophis pardalis.*
Manatí. *Trichechus manatus.*
Mancaperro. *Rhynocricus suprenans.*
Manjuarí. *Atractosteus tristoechus.*
Mariposa. *Hedychium coronarium.*
Mariposa de alas transparentes.
Greta cubana.
Mariposa de Gundlach.
Parides gundlachianus.
Mayito. *Agelaius humeralis.*
Milpiés. Diplopoda.
Miraguanos. *Thrinax* spp.-*Coccothrinax* spp.
Mono cubano. *Paralouatta varonai*
(extinto).
Morena manchada. *Gymnothorax moringa.*
Murciélago mariposa. *Natalus lepidus.*
Murciélago de cuevas calientes.
Phyllonycteris poeyi.
Orejón. *Acropora palmata.*
Palma real. *Roystonea regia.*
Paloma rabiche. *Zenaida macroura.*
Paloma perdiz. *Starnoenas cyanocephala.*
Palometa. *Trachinotus falcatus.*
Pargo. *Lutjanus analis.*
Pato de la Florida. *Anas discors.*
Pechero. *Teretistris fornsi.*
Peces ciegos. *Lucifuga* spp.
Perezoso cubano gigante.
Megalocnus rodens (extinto).
Perrito de costa. *Leiocephalus carinatus.*
Pez ciego cubano. *Lucifuga* sp.
Pez perro. *Lachnolaimus maximus.*

Royal palm. *Roystonea regia.*
Royal tern. *Sterna maxima.*
Sandpipers. Scolopacidae.
Sandwich tern. *Sterna sandvicensis.*
Saucer coral. *Helioceris cuculata.*
Sawgrass. *Claudium jamaicensis.*
Seed insects. Lygaeidae.
Shore puppy. *Leiocephalus carinatus.*
Snook. *Centropomus undecimalis.*
Snowy egret. *Egretta thula.*
Sooty tern. *Sterna fuscata.*
Sora. *Porzana carolina.*
Sparrows. Fringillidae.
Sperm whale. *Physeter macrocephalus.*
Spider crab. *Stenorhynchus seticornis.*
Tarpon. *Megalops atlanticus.*
Toadfish. *Opsanus phobetron.*
Todies. Todidae.
Tortoise beetle. *Deloyala* sp.
Tree swallow. *Trachycineta bicolor.*
Trumpet triton. *Charonia variegata.*
Viana rock snail. *Viana regina.*
Violet trumpet sponge. *Aplysina archeri.*
Warblers. Parulidae.
West Indian sea star. *Oreaster reticulatus.*
Western bearded anole.
Chamaeleolis barbatus.
Western cliff anole. *Anolis bartschi.*
Whimbrel. *Numenius phaeopus.*
White ibis. *Eudocimus albus.*
White-tailed deer. *Odocoileus virginianus.*
Wire coral. *Stichopates lutkeni.*
Wood stork. *Mycteria americana.*
Wrens. Troglodytidae.
Wright's pygmy boa. *Tropidophis wrighti.*
Yellow and black pygmy boa.
Tropidophis semicinctus.
Yellow-headed warbler.
Teretistris fernandinae.
Yellow trumpet sponge.
Aplysina fistularis.
Yellow warbler. *Dendroica petechia.*

Picúa. *Sphyraena barracuda.*
Polimitas. *Polymita* spp.
Pitirre abejero. *Tyrannus dominicensis.*
Quincontes. *Cassis* spp.
Rabihorcado. *Fregata magnificens.*
Rana platanera. *Hyla septentrionalis.*
Ranita de Cuba. *Eleutherodactylus limbatus.*
Robalo. *Centropomus undecimalis.*
Roncos. *Haemulon* spp.
Ruiseñor. *Myadestes elisabeth.*
Sábalo. *Megalops atlanticus.*
Salamanquitas. *Sphaerodactylus* spp.
Sebiya. *Ajaia ajaja.*
Señorita de manglar.
Seiurus noveboracensis.
Sijú cotunto. *Gymnoglaux lawrencii.*
Sijú platanero. *Glaucidium siju.*
Sinsontillo. *Polioptila lembeyi.*
Títere sabanero. *Charadrius vociferus.*
Tocororo. *Priotelus temnurus.*
Tódidos. Todidae.
Tonina. *Tursiops truncatus.*
Tritón. *Charonia variegata.*
Troglodita. Troglodytidae.
Vaquita de la mar. *Opsanus phobetron.*
Venado de cola blanca.
Odocoileus virginianus.
Ventorilla de cuernos.
Eleutherodactylus zeus.
Zarapico pico cimitarra chico.
Numenius phaeopus.
Zarapicos. Scolopacidae.
Zarapiquito. *Calidris minutilla.*
Zunzún. *Chlorostilbon ricordii.*
Zunzuncito. *Calypte helenae.*

Zapata sparrow. *Torreornis inexpectata.*
Zapata rail. *Cyanolimnas cerverai.*
Zapata wren. *Ferminia cerverai.*

Índice
Index

CLAVE: **fotografía/lámina** *mapa*

KEY: **photograph/illustration** *map*

A la vuelta/*next page*:
Recién nacida salamanquita de la virgen.
Newborn ashy sphaero (banded pygmy gecko).

P A N G A E A